LOS NIÑOS DE AHORA

MEG BLACKBURN LOSEY

LOS NIÑOS
DE AHORA

EL FENÓMENO DE LOS NIÑOS DE LA NUEVA ERA:
NIÑOS DE CRISTAL, NIÑOS ÍNDIGO,
NIÑOS DE LAS ESTRELLAS
Y ÁNGELES SOBRE LA TIERRA

EDICIONES OBELISCO

Si este libro le ha interesado y desea que lo mantengamos informado
de nuestras publicaciones, escríbanos indicándonos qué temas son de su
interés (Astrología, Autoayuda, Ciencias Ocultas, Artes Marciales, Naturismo,
Espiritualidad, Tradición...) y gustosamente le complaceremos.

Puede consultar nuestro catálogo en www.edicionesobelisco.com

Colección Nueva Consciencia/Niños de la Nueva Era
LOS NIÑOS DE AHORA
Meg Blackburn Losey

1.ª edición: abril de 2008

Título original: *The children of now*

Traducción: *Natalia Labzóvskaya*
Maquetación: *Marga Benavides*
Diseño de cubierta: *Marta Rovira*

© 2007, Meg Blackburn Losey
Original inglés publicado por acuerdo
con CAREER PRESS, 3 Tice Rd.,
Franklin Lakes, NJ 07417, USA
© 2008, Ediciones Obelisco, S.L.
(Reservados los derechos para la presente edición)

Edita: Ediciones Obelisco S.L.
Pere IV, 78 (Edif. Pedro IV) 3.ª planta 5.ª puerta.
08005 Barcelona - España
Tel. 93 309 85 25 - Fax 93 309 85 23
E-mail: obelisco@edicionesobelisco.com

Paracas, 59 Buenos Aires
C1275AFA República Argentina
Tel. (541 - 14) 305 06 33
Fax: (541 - 14) 304 78 20

ISBN: 978-84-9777-444-4
Depósito Legal: B-2.358-2008

Printed in Spain

Impreso en España en los talleres gráficos de Romanyà/Valls S.A.
Verdaguer, 1 - 08786 Capellades (Barcelona)

Agradecimientos

Durante la preparación de este libro, traté y entrevisté a familias, niños, maestros, cuidadores, personal médico y muchos otros, demasiados para mencionarlos a todos individualmente por sus nombres. Muchos contribuyeron con sus historias vía e-mail y en persona, haciendo todo lo posible para asegurarse de que escuchara todo lo que me tenían que contar. Tratar de mencionarlos a todos por su nombre hubiera sido hacerles un mal servicio, ya que, con toda seguridad, hubiera omitido algunos. Me siento agradecida más allá de poder expresarlo con palabras por su franqueza, por las contribuciones que han hecho a mi propia experiencia y por la amorosa gentileza con que casi todos cuidan a los Niños de Ahora. ¡Se lo agradezco de todo corazón!

Me siento agradecida en particular a todos y cada uno de los niños que han acudido a mí en busca de ayuda, algunos llamando desde el éter y, en última instancia, contactando conmigo en este plano de realidad. Es mi ardiente deseo que este libro os ayude a tener una vida más fácil, con apoyo desde todas las direcciones y con magnífica crianza cuando lleguéis a ser nuestro futuro. Vosotros lo contáis tal y como es, ofreciendo vuestros dones a quienes os puedan oír e, incluso a algunos que no pueden. Sois bellos, y os amo entrañablemente, a cada uno de vosotros. Todos sois joyas inestimables de mi corazón. Trabajar con vosotros es siempre un privilegio, un honor y un placer.

Un agradecimiento especial va dirigido a mi pequeñuela, Haley, que vino al mundo en 1999 con los ojos abiertos de par en par. Con suavidad pero firmemente, has abarcado a todos con tu luz, con tus visiones de ángeles, conversaciones telepáticas, dominios de energía y movimiento, capacidad de sentir y comparar las vibraciones de cristales y ver la verdad dentro de otros, incluso cuando quienes te rodeaban no lo reconocían. Fue la conciencia que creaste dentro de tu «Memaw» lo que ha dado vida a este libro. Te quiero mucho.

Agradezco también a mi publicista, Maggie Jessup. Maggie, ¡me encanta que no aceptes un «no» como respuesta y me encanta cómo te empeñas en obtener un creativo «sí»! Muchísimas gracias por tus tremendos esfuerzos para que este libro pudiera nacer.

Y a mis agentes Hill Gladstone y Ming en *Waterside Productions*: muchas gracias por tener confianza en mi trabajo y, sobre todo, por llevar este libro a un lugar principal donde puede ayudar a innumerables personas.

A Michael Pye y Career Press, mi editorial: ¡gracias por creer en este libro y por publicarlo! Los resultados de que esta información alcance al mundo se esparcirán de modos imprevisibles. ¡El momento es, realmente, ahora!

Y por último, aunque por cierto no ha sido el último: a mi esposo David, por reconocer que mi misión en la vida es más grande que nosotros dos juntos. Agradeces que ayude a «toda esa gente» cada vez que salgo al mundo. La libertad que me brinda tu aceptación es inapreciable. Gracias, mi amor.

Prólogo

Queridos amigos:

Cuando leáis este libro, que abre los ojos e inspira el corazón, preguntaos: «¿Cómo puedo bendecir, honrar y apoyar a los Niños Nuevos en su misión en la vida dada por Dios?»

Esta es una pregunta perdurable, ya que nosotros, como sociedad, nos enfrentamos a un número cada vez mayor de niños que requieren una orientación tierna y cuidadosa. Este libro ayudará a cada uno de vosotros, de manera delicada y sutil, a honrar a esos niños y orientarlos con delicadeza.

¿Quién hubiera pensado que nosotros necesitábamos orientación si avanzamos tan seguros, con un profundo conocimiento interno proveniente de nuestras aventuras cósmicas? A pesar de que mis aventuras cósmicas me han llevado de pasear junto a Jesús hasta la Atlántida, aquí estoy, «omnisapiente» e inocente a un mismo tiempo.

Comprendednos: nosotros, los niños cristal e hijos de las estrellas, podemos parecer capaces de todo, y sin embargo necesitamos que el mundo sea capaz de escucharnos para alcanzar nuestro propósito y lograr el mejor efecto de cambio.

En mi experiencia personal, cuando percibo que se me escucha profundamente, siento relajarse cada célula de mi cuerpo. Esta relajación es tanto más asombrosa porque produce cambio. He aprendido en mi propia vida, cuando vivía como un niño en el Universo, y sin embargo en un cuerpo único con su propia mente, que lo que me hacía sentir el mayor apoyo era la relajación producida por la percepción de ser escuchado de veras.

Así que agradeced de todo corazón a nuestro Dios todopoderoso nuestra inocencia de ojos muy abiertos y nuestros asombrosos dones, y el mundo, a su vez, nos tendrá en cuenta de veras. Cuando el mundo preste atención en gran escala, este libro se convertirá en una herramienta valiosa para ponernos a nosotros, los niños cristal, en una situación mucho más cómoda. La Dra. Meg Blackburn Losey tiene el estilo, la elocuencia y la capacidad inspiradora para llevar este mensaje trascendental hacia todo aquel para quien pueda ser útil.

En las páginas de este libro, La Dra. Meg Blackburn Losey ofrece unos consejos inteligentes, profundos y alentadores sobre temas tan importantes como la escuela, la nutrición y el entorno, que nos alimentarán y enriquecerán. Hará que sigáis con interés la lectura mientras aprendéis a dar apoyo a estas conmovedoras, introvertidas y delicadas criaturas; y a la vez que aprendéis a ayudar a los niños nuevos, seréis conscientes de vuestro propio viaje.

¿No veis que no estamos aquí para nuestro propio propósito, que estamos aquí para un propósito universal? Este despertar es necesario, porque necesitamos que una masa crítica resuene sobre la Tierra con pura vibración de amor para su salvación. Nosotros, los Niños Nuevos, estamos aquí para ayudaros en este movimiento.

Por último, a través de este libro, llegaréis a saber también que la única fuerza que lo une todo es el amor. *Amor es la voz de los Niños Nuevos.* Escuchad con profunda atención todos sus mensajes, y ya estamos plenamente dispuestos a bendecir, honrar y apoyarlos en su misión en la vida, encomendada por Dios.

NICHOLAS M. TSCHENSE, 9 años.
Portador de luz y amor.

Introducción

Recuerdo cómo era estar en casa.
Era muy diferente de aquí. Todo era bello.
Yo los amaba a todos y ellos también me amaban.
¿Cómo es que aquí no se siente del mismo modo?
ANDREW, EDAD: 4 AÑOS

Quiénes son los Niños de Ahora? Son una nueva generación de niños, más evolucionados que las generaciones anteriores, que vienen a nuestro mundo con dones muy especiales. Muchos de ellos recuerdan dónde estaban antes de venir a la Tierra y, con frecuencia, recuerdan incluso sus vidas anteriores. Los Niños de Ahora se dividen en varias categorías, y mi investigación ha demostrado que existen atributos coincidentes que casi imposibilitan ubicar estos asombrosos seres en ordenadas casillas.

¡No todos estos niños son Índigos! Los Índigos son seres-paradigmas que saben de modo inherente que algo anda mal en este mundo y que las leyes de la sociedad no siempre toman en consideración ni las circunstancias particulares ni a los individuos en una situación dada. Al crear conciencia, los Índigos han abierto las puertas para que reconozcamos y criemos las sucesivas generaciones. Ya hay mucha información disponible sobre nuestros maravillosos Índigos, en forma de libros, artículos, páginas web y películas.

Este libro concentra la atención en niños que, por lo general, son más pequeños y han evolucionado mucho más que los niños índigo. Son los niños cristal, los hijos de las estrellas, los ángeles sobre la Tierra y los chicos transicionales, o sea los que se clasifican entre estas categorías. Cada grupo hace gala de dones asombrosos, y sin embargo permanece único en sus atributos. Los chicos transicionales no encajan bien en ninguna de estas categorías y, sin embargo, son igualmente especiales y asombrosos.

No hay mucha información accesible sobre el fenómeno de estos niños tan diferentes y asombrosos, a excepción de lo que se trasmite oralmente. La causa de esto es la misma por la que los temas más metafísicos no son aceptados en su plenitud por el público en general. Los fenómenos puramente energéticos son difíciles de documentar y probar de manera científica. Nuestra tecnología aún no tiene capacidad para medir los sutiles campos de energía o los campos de energía biofísica de muy alta frecuencia de los que son portadores nuestros Niños Nuevos. Todos sabemos, desde el punto de vista científico o médico, que si algo no puede ser cuantificado, esto quiere decir que no existe, ¿verdad? ¡A todas luces, no!

El estudio de la metafísica es esto: estudio de todo lo que está más allá de lo que la ciencia es capaz de medir. Respecto a los niños, hay demasiadas coincidencias para que se les ignore, hay en el mundo entero demasiadas familias, maestros, cuidadores y niños, aparentemente sin relación entre ellos, que experimentan las mismas cosas, como para seguir ignorando este tema.

Este libro trata sobre lo que aún no puede medirse pero que sucede a diario en nuestro mundo.

Existen realidades superiores que simplemente están más allá de la percepción de la mayoría de las personas. Existen en toda la creación infinitas dimensiones, y estas dimensiones son parte del concepto del Uno, de aquello que es Dios, Espíritu o Creador, y dentro de todas estas realidades hay infinitas posibilidades. Para la mayoría de nosotros, la idea de otros reinos, al menos de aquel donde habita Dios, es muy real. Con frecuencia me siento atemorizada por el hecho de que la gente, en su mayoría, suele creer con facilidad en un ser supremo o en un creador de todas las cosas, y sin embargo no puede aceptar la idea de que son parte integral y vital de ese reino. No podemos creer que existen, de veras, mundos más allá del de aquí y ahora, y que nos afectan en cada momento de nuestra existencia. De hecho, para muchos, la idea de una realidad más allá de la tercera dimensión resulta atemorizadora. Mi intención es extender un poco más la conciencia del lector en cuanto a la realidad y compartir realidades más allá de lo que vemos, sentimos, oímos, tocamos o experimentamos, realidades que nos conciernen en todo a niveles infinitos. Es desde el interior de estas realidades que los Niños de Ahora nos traen lo que los seres humanos hemos procurado a lo largo de toda nuestra existencia: a nuestro propio Dios.

Hemos sido creados de capas sobrepuestas de energía sutil, y esta energía entra en contacto con todos los demás niveles de la realidad, de modo interno, externo e infinito. Los tipos de campos de energía que han sido descritos hasta ahora no son una suposición. Mis dotes extrasensoriales me permiten entrar en múltiples dimensiones y más allá, donde puedo ver, tocar, gustar, oler y oír estas capas.

Nuestra realidad física no es más que una pequeña parte de una vasta realidad donde en general no podemos entrar con nuestros usuales cinco sentidos, ni tan siquiera con nuestra naturaleza intuitiva (nuestro «sexto sentido»). Cuando experimentamos otros reinos de realidad nos trasladamos al interior de nuestro séptimo sentido, nuestra conciencia multidimensional. Dentro de este séptimo sentido hay tres niveles básicos de conciencia: *iniciación*, cuando nos percatamos de las otras realidades; *comunión*, cuando comenzamos a interactuar intencionalmente con otros más allá de esta realidad; y *ascensión*, cuando podemos unirnos de modo intencional a nuestra fuente, el Uno.

Nuestros sistemas de energía son algo más que los chacras o puntos energéticos de nuestro cuerpo. Tenemos también múltiples, de hecho infinitas, capas de energía dentro y alrededor de nosotros. Nuestros campos de energía cambian cuando experimentamos vida, ya que se comunican de modo constante con toda la creación, la cual al mismo tiempo se comunica con nosotros. Nuestros campos de energía dictan nuestras experiencias emocionales, espirituales, mentales, físicas e incluso intuitivas. En cualquier momento dado no somos exactamente los mismos que hace un momento, porque nuestros campos de energía cambian en el transcurso de nuestras experiencias. Debido a esto, todos somos únicos. Desde el principio somos la culminación de nuestras experiencias. Somos todo lo que hemos vivido.

Somos creados también como conjuntos de frecuencias armónicas. Energéticamente hablando, estamos estructurados de modo muy similar a una gigantesca y muy compleja cuerda musical, y cada plano de la realidad es una nota de esta cuerda. Nuestras frecuencias armónicas dictan nuestra presencia en la realidad tridimensional. Dirigen también nuestras experiencias sobre la Tierra, nuestros viajes kármicos, (las lecciones que hemos de aprender) y las elecciones que hacemos. Nuestros sistemas de energía evolucionan de modo constante en respuesta a nuestra vida, nuestro entorno, nuestro mundo y, de hecho, a toda la creación.

Los niños índigo se llaman así debido a que el color azul índigo es el que predomina en sus campos de energía. Los niños de este libro, sin embargo, tienen campos de energía que han evolucionado más allá de los campos de los índigos y de las generaciones anteriores. Los Niños de Ahora están dentro de una gama de energía sutil que depura y se arremolina, energía que proporciona a estos niños muy especiales conciencia, dotes, y sensibilidad (o «conocimiento») sin límites, mucho más allá de lo que solemos considerar «normal». Los Niños de Ahora son asombrosos no sólo por sus vislumbres y sus dotes, sino también a veces por sus discapacidades. Como seres humanos, hemos aprendido por ejemplo de nuestros antecesores que «diferente» es incómodo y algo que se debe evitar. Nos han enseñado que es cómodo para nosotros que todos y cada cual encajen en cajitas cómodas y bonitas, y tengan aspecto y conducta como la de cualquier otro. Estos tiempos han quedado atrás. Los Niños de Ahora son un salto emocionante en la evolución humana.

No obstante, incontables Niños de Ahora siguen pasando inadvertidos. Aunque, como sociedad, tendemos a clasificar y crear categorías, aún carecemos de parámetros donde ubicar a estos asombrosos niños. Esto es porque estos niños no se someten a ninguna categoría restrictiva y limitadora y las hacen añicos. A los Niños de Ahora no se les ha estimulado o criado como requieren sus dotes inherentes. Por esta razón, estos niños tienen problemas en todos los aspectos de su vida. Muchos de estos pequeños, tan especiales, padecen a causa de todo tipo de descuidos, uno de los cuales se debe simplemente a la ignorancia por parte de los padres y cuidadores en cuanto a la verdadera naturaleza y fuente de lo que hace que estos niños sean diferentes. Esto no es intencional. Con frecuencia, estos niños tienen exactamente el mismo aspecto que cualquier otro, pero en el interior son muy diferentes de los demás. Conocen cosas que la mayoría de las personas ni siquiera han pensado (y sin embargo pueden haberlas sentido allá en lo profundo de su ser). Como seres humanos, solemos temer lo que no comprendemos. Para muchos, creencias religiosas, datos históricos y normas y costumbres sociales sugieren que cualquier cosa o persona diferente ha de ser ignorada, controlada u ocultada. Cuando se trata de los Niños de Ahora, ¡al no reconocerlos, hacemos un mal servicio a nosotros mismos y al mundo!

En generaciones anteriores, al llegar el día de nuestro nacimiento, nos olvidábamos en seguida de nuestro origen. Olvidábamos nuestras dotes, nuestra Fuente y nuestra perfección. Los Niños de Ahora no sólo recuerdan mucho de lo que nosotros hemos olvidado, sino que lo encarnan. No es mi intención disponer a los niños por categorías; más bien se trata de explorar el fenómeno de los Niños de Ahora y contar sus historias. Lo hago así porque este fenómeno ofrece la posibilidad de un cambio positivo en nuestro mundo. Pido con insistencia al lector que revise los grupos de edades aproximados que se enumeran aquí a grosso modo, ya que hay muchas situaciones que se traslapan y energías transicionales que crean características comunes. No hay dos niños exactamente iguales, pero hay rasgos que comparten. Los niveles de dotes son individuales para cada niño.

La información que ofrece este libro puede ser nueva por completo para muchas personas. Varias de estas historias describirán facetas de la realidad que pueden retar toda lógica. Algunas pueden parecer sumamente extrañas, pero son muy reales. He utilizado diversos ejemplos en cada sección, algunos son extremos, otros no lo son. Esto ha sido intencionado porque, como energía y consciencia, compartimos todos rasgos idénticos pero también poseemos infinidades de rasgos que son sólo nuestros.

Algunas historias de este libro van a lanzar un reto a vuestra capacidad de creer, y otras van a ampliar de manera definitiva vuestra percepción de la realidad. En mi opinión, ¡esto es bueno! Mis creencias nunca habían incluido las ideas y los acontecimientos que se hallan en estas páginas hasta que no sólo me encontré frente a estas situaciones sino que también las viví. Algunas veces, la lección de la vida consiste en abandonar las creencias y mirar la verdad tal y como es, y no como deseamos que sea.

Cada vez que nos sentimos retados en nuestro «refugio» de la realidad diaria, tenemos tendencia a resistir y cerrar nuestra mente, porque lo desconocido puede dar miedo. Sugiero que leáis este material con corazón y mente abiertos, y con el objetivo de expandir la conciencia personal. No podemos crecer sin retos que nos lleven a mayores alturas de sabiduría y conocimiento. Insisto, es importante recordar que no todos los niños comparten los rasgos tratados en este libro; del mismo modo que en la evolución biológica, el avance es desigual o mixto, hasta que los rasgos nuevos se normalizan espontáneamente en la población como norma.

En mi opinión, a niños y adultos se les suelen poner «etiquetas» inapropiadas a fin de definir y comprender, los diferentes tipos de conducta. Muchas de estas «etiquetas» no sólo son incorrectas, sino, a la larga, causan daño. A muchos niños les dan diagnósticos médicos tales como DDA (desorden de deficiencia de atención) y DDAH (desorden de deficiencia de atención e hiperactividad). Estos diagnósticos se han convertido en «abárcalo todo» para quienes no caben dentro de las normas. Peor todavía, estos diagnósticos vienen acompañados de prescripciones de medicamentos que embotan los sentidos de los niños y crean un estatus quo cómodo para todos los demás. ¿No es cierto?

En cierto modo, las muy diversas realidades que estos niños traen a nuestro mundo pueden sentirse como amenazadoras sólo porque carecemos de experiencia en que basarlas. Yo diría que lo «normal» es una percepción, y que la percepción es parte de nuestra ilusión diaria. ¡Para que nos apartemos de la ilusión nuestras percepciones tienen que cambiar! No me propongo crear más «etiquetas». Por el contrario, mi objetivo es explicar un fenómeno real. En vez de ir poniendo «etiquetas» a todo, aceptemos con alegría las diferencias y las ilimitadas dotes que los Niños de Ahora traen a nuestro mundo en forma de conocimiento, sabiduría y capacidades para sanar, e incluso lo que recuerdan de mucho más allá de nuestra realidad cotidiana.

Esta obra es un compendio de una investigación en marcha. Soy autora y sanadora intuitiva con una práctica internacional. Viajo mucho, imparto conferencias, organizo talleres y doy sesiones privadas de sanación. A lo largo de toda mi práctica, he encontrado, uno tras otro, niños asombrosamente dotados a quienes, sin embargo, sus padres, maestros y otras personas encargadas de su cuidado no sólo no los reconocen, sino que los invalidan, y no saben apreciar en su justo valor sus diferencias. A causa de esto, muchos de esos niños han enfermado o han llegado a conducirse de un modo inaceptable. Otros son tan avanzados desde el punto de vista intelectual, espiritual y emocional, que padecen un tremendo sentimiento de no pertenencia. Provienen de un marco referencial ajeno a la mayoría de las personas, y a causa de esto, muchos de ellos viven sin que se les preste oído, invalidados e irreconocidos.

Me he encontrado a algunos niños asombrosos y les he dado sesiones de sanación. En cada ocasión me han conducido a nuevas y sorprendentes alturas de la realidad. Tratan sobre temas que hasta hace muy poco tiempo parecían cosas de ciencia ficción. De hecho las interacciones con los niños me han llevado mucho más allá de mi propio alcance de imaginación. ¡Puedo asegurar que mi imaginación no es tan enorme como para ser capaz de inventar las historias que os voy a contar! Se ha dicho innumerables veces que expectaciones crean realidad. Tenemos la tendencia de ver a los Niños de Ahora desde los viejos paradigmas que ya no se deben aplicar. Mi intención es contrarrestar esta tendencia vertiendo luz sobre los Niños de Ahora para que no sólo se les preste atención, sino también para que se les críe, se les cuide y se les honre.

Mi primer conocimiento conciente de una niña cristalina ocurrió al nacer mi nieta, en 1999. Vino a este mundo con una conciencia clara e, inmediatamente, al nacer, observó con serenidad todo cuanto la rodeaba. Más tarde, cuando estaba sobre mi regazo, mientras luchaba con las limitaciones de su nuevo ser físico, su consciencia hizo un intento por elevarse y abandonar su cuerpo. Pude ver que ella misma ardía en deseos de ascender. La concentración en sus ojitos azules era intensa, y sin embargo estaba allí, encerrada en su diminuto cuerpo. Recuerdo que me reí y le pregunté si estaba tratando de escaparse. ¡No sabía entonces que ella estaba acostumbrada a proyectar su consciencia hacia donde deseara y que estaba tratando de llevarse consigo su nuevo cuerpo! Esto sólo fue el comienzo. Supe que mi nieta no era la única poseedora de tales dotes, y que había otros como ella. Esta comprensión me llevó más allá de la curiosidad, hacia territorios no descritos de la realidad.

Cada niño, cada situación, es diferente. La información que contiene este libro se basa en experiencias directas, obtenidas en sesiones de sanación, entrevistas personales y sitios Web, así como de aportaciones de profesionales que también no sólo reconocen a estos niños sino que trabajan a diario con ellos. No hay muchos libros disponibles que traten sobre los temas que se describen en estas páginas. Cuando esto me era posible, he citado estas referencias. Existen algunas páginas de Internet que ofrecen información sobre los Niños de Ahora, y las he incluido al final de este libro para que podáis ahondar más en este tema. Estas listas no son recomendaciones: son simplemente otras vías que ofrecen información útil y actualizada sobre los niños.

Es mi deseo apasionado que este libro actúe como una llamada a la conciencia y como un mecanismo de apoyo para padres, maestros, cuidadores, educadores e incluso médicos. Principalmente, sin embargo, es para los Niños de Ahora, que no reciben lo que necesitan. Muchos niños sufren injustificadamente porque sus necesidades no se reconocen. Algunas familias hasta tienen miedo de las dotes que muestran sus hijos. Este miedo trae otras series de problemas a medida de que los niños crecen y maduran. Cuando existe tal sentimiento de diferencia, siempre es bueno saber que no estamos solos.

Para no traicionar el implícito pacto de confidencialidad entre el psicólogo y el paciente, utilicé casi siempre seudónimos en vez de los nombres de los niños, con excepción de Nicholas, quien escribió el bello prólogo, y Lorrin, John Everett, Peter y Christina, de quienes hablaré algo más adelante. Por supuesto, no todos los niños dotados se parecen a los descritos en este libro, ¡pero os vais a sorprender de cuántos sí se parecen!

Es mi deseo que cada persona que lea este libro reciba alguna nueva información, satisfaga algún atisbo de curiosidad o incluso obtenga una opinión diferente que en última instancia ayude a un niño que de otro modo tal vez no hubiera recibido reconocimiento.

Al comienzo de cada capítulo, y en algunos otros lugares, he insertado citas directas de algunos de esos niños con quienes estuve en contacto. La sencillez de sus mensajes me dejó sin palabras, una y otra vez. En muchos sentidos, fue como si Dios, el Espíritu y la Fuente estuvieran hablando directamente a través de los niños. Ellos recuerdan.

Cuando a los Niños de Ahora se les cuida y sus dotes se reconocen, siguen recordando y compartiendo siempre asombrosas observaciones y dones. Es triste que, según mi experiencia, a un enorme número de estos niños se les niega el reconocimiento de sus asombrosas revelaciones. Los niños son francos en cuanto a lo que han visto y experimentado, pero debido a que no reciben el reconocimiento de sus dotes, pronto comienzan a olvidar lo que sabían cuando llegaron a la Tierra. Por último, dejan de hacer uso de sus dotes. Por ejemplo, una niñita rubia de ojos azules a quien conocí poco después de su nacimiento, deleitaba y asombraba a cuantos se encontraban con ella desde que empezó a hablar (a una edad muy temprana). Ahora que estoy escribiendo esto, tiene 4 años. La llamaré Sky. Desde pequeña, Sky reunía audiencia dondequiera que estuviera. Con su atractiva personalidad, era un imán para la gente. Hasta hace poco tiempo, cuando las personas se reunían en torno a ella, Sky les hablaba sobre la vida, sobre la verdad y temas de otros mundos. Su sabiduría supera con creces sus años. Es también más amable y posee una coordinación física mejor que la mayoría de los niños de su edad. Más tarde, Sky se volvió tímida con la gente y dejó de compartir públicamente sus ideas. Perdió por completo su efervescente personalidad. Cuando se le preguntó por qué había optado por el silencio, su respuesta fue: «Cuando hablo, la gente se ríe de mí y me siento herida. No me gusta que se rían de mí, así que he dejado de hablarles.» Los padres de Sky honran enormemente sus dotes e incluso le dan ánimo, pero el público en general la trató como un espectáculo y una novedad. Por eso ha cerrado las puertas de su comunicación. ¡Qué pérdida para todos nosotros! Por desgracia, las situaciones como ésta son más bien una norma. Si a estos niños no se les cuida, no se les valora ni les da ánimo, a la edad de 5 o 6 años se rodean de murallas energéticas protectoras que bloquean la corriente de información. Pronto, la mayoría de los rasgos de conocimientos superiores se borran, las puertas hacia la consciencia elevada se cierran y todo se olvida. Los niños son muy sensibles en cuanto a lo de ser «diferentes». ¡Qué afirmación tan triste para nosotros, como personas «ilustradas» y «civilizadas»! Los medios de crear un mundo más positivo nos vienen a las manos en forma de nuestras generaciones futuras, y ni siquiera los reconocemos. Los Niños de Ahora nos traen las claves de los secretos de esta vida y la del más allá, pero trancamos la puerta. *¿En qué estamos pensando?*

En las generaciones anteriores se enseñaba que a los niños había que verlos y no escucharlos. Hoy más que nunca, es a los niños a quienes debemos escuchar. En la trayectoria de nuestra evolución como seres humanos, los Niños de Ahora son un puente hacia una conciencia superior, incluso hacia el futuro de este planeta. ¿Cómo los vamos a reconocer? ¿Escucharemos lo que nos tienen que decir? ¿Podemos dar el salto, sabiendo que estos niños nos pueden llevar mucho más allá de nuestras percepciones corrientes de la realidad y hacia los emocionantes mundos de la conciencia y las posibilidades? Es a nosotros como sus mentores, cuidadores y familiares a quienes toca percatarnos de estos niños y actuar según su conducta. Debemos dejar a un lado los viejos paradigmas y abrir nuestros corazones, mentes y almas a las posibilidades que los Niños de Ahora tienen para compartir con nosotros.

Tenemos ante nosotros una oportunidad que nunca se ha visto o experimentado en la historia de la humanidad. En mi opinión, la conciencia constituye alrededor del 80% de la solución de cualquier situación. Para hallar esta conciencia, primero debemos aceptar la posibilidad de que nuestra realidad contiene más de lo que solemos conocer o aceptar. Este fenómeno cruza todas las fronteras raciales y religiosas y, de hecho, todos los sistemas de creencias y normas sociales. Como dice Nicholas en el prólogo, con tanta elocuencia, debemos escuchar muy atentamente a los niños y debemos estar dispuestos a abrirnos hacia lo que nos dice su mensaje.

Cuando echamos una mirada franca al mundo corriente que nos rodea, comenzamos a comprender que tanto la humanidad como el planeta donde vivimos están en proceso de destrucción. Hemos olvidado las maravillas de existencia más allá de la vida cotidiana. Nos olvidamos de notar la perfección de cada instante en cada momento dado de nuestra existencia. Miramos hacia fuera de nosotros mismos en busca de comodidad y ganancia y esperamos con frecuencia que alguien más sea responsable de darnos lo que necesitamos. En general, somos personas con un gran sentimiento de vacío, y luchamos día a día por llenarlo. Lo que hemos olvidado es que ya estamos llenos. No hay nada que necesitemos que no esté ya dentro de nosotros. Los niños no lo olvidan y vienen a recordarnos que somos mucho mejores personas que lo que experimentamos en la ilusión cotidiana que llamamos «realidad».

Los Niños de Ahora traen a nuestro mundo posibilidades de un notable cambio evolutivo. Tienen una misión y un inmenso propósito, y necesitan ayuda. Sus dotes nos traen luz, y su sabiduría nos ha de recordar con frecuencia tiempos y mundos que hemos olvidado. Los Niños de Ahora no sólo tienen la misión de enseñarnos una realidad mayor dentro de su inocencia y su clara percepción de la verdad; son también el futuro de nuestro mundo. De hecho, si prestamos atención a los Niños de Ahora, el futuro de la humanidad puede abandonar el sendero de la destrucción que sigue en actualidad y emprender el camino hacia otra realidad más positiva, más globalmente orientada y que ofrece mayores beneficios para cada persona.

Las brillantes estrellas que hallaréis en estas páginas son milagrosas en muchos sentidos. Desafían todas las fronteras conductuales y psicológicas, atraviesan normas sociales y creencias religiosas. Son puentes hacia toda la humanidad, desde nuestra Fuente y nos traen mensajes importantes. Los Niños de Ahora son el espíritu de perfección, faros de luz llenos de verdad apasionada y la inocencia de lo que la humanidad fue un día y puede volver a ser. Los niños están aquí y están ahora, ¡y hay más en camino! ¿Estamos listos para prestarles atención?

Cambios de evolución

Capítulo 1

*Crear una nueva realidad en este mundo
es tan simple como hacerlo.*
(Un mensaje telepático de uno de los niños)

Por qué precisamente ahora hay tantos niños que nacen con dotes especiales? ¿Por qué son «diferentes» de otras personas? ¿*Cómo* se diferencian?

La humanidad pasa por una evolución circular. Como se describe más detalladamente en mi libro *Pyramids of Light: Awakening to Multi-Dimensional Realities*, nuestros campos de energía electromagnética y nuestras estructuras genéticas evolucionan de manera continua hacia nuestro estado original, que era la luz, la misma luz que es nuestra Fuente, nuestro Dios, nuestro Creador. Hasta cierto punto, cada uno de nosotros lleva dentro esta luz, que contiene las memorias de todos los tiempos. La memoria de esta luz dentro de nuestro propio ser conduce nuestra evolución hacia atrás, hacia nuestro origen.

Antes del tiempo, tal y como lo medimos y durante nuestra evolución como seres humanos, nos volvimos más densos, hasta llegar a nuestra forma actual. Durante este proceso, nuestras mentes pensantes se desarrollaron porque nos enfrentamos con la necesidad de sobrevivir como seres biológicos. Cuando migramos en búsqueda de sustento y debido a cambios climáticos, tuvimos que aprender también a comunicarnos con otros. Con esta comunicación se desarrolló el arte y la sutileza de las palabras, y, más tarde, nuestros egos. Incluso ahora nuestros egos nos dicen si estamos o no a salvo, basándose en nuestras experiencias previas. Con frecuencia, nuestros egos nos mienten porque no valoran nuestras circunstancias actuales a la luz de la verdad del momento, sino sólo a la luz de lo que experimentamos en el pasado. A causa de esto, algunas veces nuestro cerebro lógico rellena las lagunas, de modo que las cosas parecen tener sentido, ¡y esto con frecuencia nos trae problemas! Como péndulos oscilantes, hemos pasado más allá de nuestro estado de desarrollo más básico, y ahora nos movemos hacia una existencia superior. Como todo en nuestro interior busca su Fuente, dentro de nosotros se producen cambios.

Nuevas relaciones de ADN

Todos los seres humanos tenemos un sistema de ADN en que cada cadena parece una escala trenzada (*véase* Fig. 1). La cadena de ADN se compone de segmentos de proteínas que se comunican entre sí. El modo en que estos filamentos de proteínas se han comunicado a lo largo de milenios, ha sido por interrelaciones lineales entre los segmentos que obran de un modo muy parecido a una reacción en cadena.

Figura 1. Una sección de una cadena de ADN.

Cuando un cambio se produce en nuestro cuerpo, nuestro ARN lleva y trae mensajes a nuestro ADN (*véase* Fig. 2). El ARN reconoce en el interior de nuestro cuerpo los acontecimientos que nuestro ADN necesita conocer y lleva mensajes sobre estos acontecimientos por todo el cuerpo a nuestro ADN, el cual responde consecuentemente.

Además de la comunicación con los segmentos de proteínas, nuestro ADN posee un campo de energía electromagnética entre y alrededor de las cadenas que funciona como un aparato de radio de cristal líquido. Este campo funciona a base de determinados grupos de frecuencias de modo muy similar a cuando se sintoniza una emisora. El campo electromagnético dentro y alrededor del ADN trasmite y recibe datos. Le dice a nuestro cuerpo y a nuestros campos de energía sutil qué cambios son necesarios. Cuando tenemos sentimientos, sensaciones físicas y emociones –de hecho, cualquier experiencia– todo nuestro ser por entero responde y varía cuando nuestro sistema electromagnético y nuestro ARN comunican al ADN sobre la experiencia. Los mensajes viajan a través de los sistemas de nuestra energía sutil, los cuales se comunican de manera infinita. En otras palabras, *nuestro ADN habla a todo cuanto existe en la creación.*

Cuando nos comunicamos con el universo, se crean nuevas realidades. Nuestro cuerpo, como también nuestra vida, experimenta cambios en respuesta a estas nuevas realidades. Si nuestros sistemas requieren una adaptación para aclimatarse a nuevas circunstancias, el ADN no sólo instiga estos cambios sino que además los controla. Como sucede con nuestro cerebro (del que apenas usamos alrededor de 5 a 7%) utilizamos muy poca información accesible dentro de nuestro ADN porque nos hemos olvidado de cómo acceder a ella, o al menos esto es lo que solía suceder. ¡Recientemente, algunos hemos empezado a recordar!

En los últimos años, nuestro ARN empezó a identificar los datos eléctricos y electromagnéticos que antes no era capaz de reconocer, y a trasmitirlos dentro y alrededor del cuerpo. En otras palabras, las emisoras de radio han cambiado frecuencias por unas bandas receptoras más amplias. Esto cambia la interacción entre los segmentos de nuestro ADN y el cuerpo, y por ende nuestra relación con todo lo que existe en la creación.

Estos nuevos patrones, que han evolucionado, permiten al ADN comunicarse de una manera diferente. Los Niños de Ahora son ejemplos vivientes de esta revolución genética. En vez de comunicarse de una manera lineal, las cargas eléctricas que son parte del mecanismo de comunicación en toda la «escala» de ADN, han empezado a crear arcos de un segmento de proteínas a otro. Cuando esto ocurre, las cargas saltan con frecuencia de un segmento de una cadena de ADN a un segmento o más de *la cadena opuesta.* Esto es un nuevo método de comunicación.

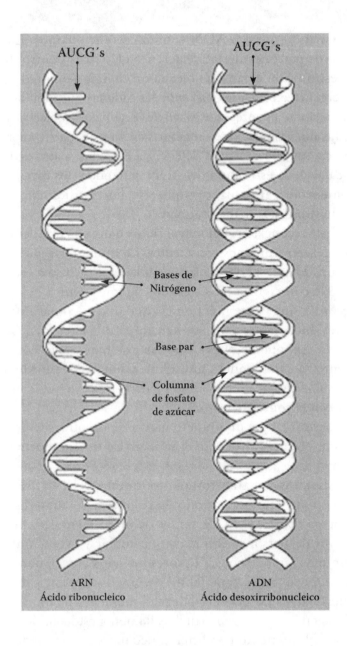

Figura 2. Relaciones entre el ARN y el ADN

Cuando nuestro ADN cambia, evolucionamos. Los nuevos patrones de las relaciones eléctricas dentro de nuestro ADN crean una oleada de energía –una red de energía electromagnética– *entre* las cadenas que, por falta de palabras mejores, nos sirve de «reconexión» eléctrica. Estas nuevas relaciones genéticas crean una matriz energética, un nuevo campo de energía entre las «patas de la escala» de la estructura del ADN. Cuando estos campos comienzan a armonizar y unificarse, nos transformamos, y nuestros hijos se transforman.

Esta reconexión es el mayor salto en nuestra evolución como seres humanos conscientes. La humanidad ha comenzado a despertar a otras realidades e incluso a estados de consciencia más elevados. Hemos comenzado a recordar que existe mucho más que lo que conocíamos antes. Incontables personas han empezado a recordar, de modo espontáneo, vidas pasadas y se han vuelto conscientes de una manera multidimensional. Algunos han descubierto que no hay límites para lo que es posible hacer con la consciencia pura.

A medida que un número mayor de nosotros «se despierte», tanto mayor será el número de quienes recuerden.

Mientras nos transformamos, nuestro ADN y ARN siguen ajustándose a modo de respuesta. Cuando este proceso ocurre, el ADN dentro de un número cada vez mayor de personas comienza a cambiar y evolucionar aun más rápidamente. El proceso es constante. Cuando el ADN se transforma dentro de una, luego dos, y después más y más personas, llega el momento de un consenso en la naturaleza. Muchos llaman a esto «masa crítica»: el momento en el tiempo cuando una tendencia evolutiva se convierte en norma. (A modo de ilustración, podéis recordar la «teoría del centésimo mono», que proclama, en lo fundamental, que cuando un número cada vez mayor de personas aprende a conducirse de una manera diferente, llega un momento en que se alcanza la masa crítica, y toda la población acepta, de modo espontáneo, esta conducta por norma.)

Tenemos también en la conciencia una masa crítica. Cuando evolucionamos físicamente, la funcionalidad de nuestra conciencia crece también. Desde el punto de vista de la evolución, esto es tremendo. No sólo nuestros hijos exhiben aspectos de conciencia superior, sino que hemos empezado a ver, incluso en adultos, niveles de percepción consciente que hace apenas unos pocos años eran inauditos. Debido a esto, los niños que vienen al mundo como progenie de nuestra nueva evolución, traen unos patrones de comunicación de ADN nuevos, más avanzados.

Los nuevos patrones en nuestro sistema de ADN se parecen mucho a Internet, sólo que son ilimitados en su alcance y capacidades. Son infinitos, y el alcance de nuestro potencial es también infinito. Nuestra consciencia ha comenzado a funcionar con mayor facilidad y plenitud, en unión con nuestros sistemas de ADN. A medida que se llega a una comunicación universal más plena, también nuestra conciencia se vuelve cada vez más perceptiva.

Nuestros niños escuchan no sólo con su mente sino también con todo el cuerpo. Más aún, sus campos de energía están sintonizados con un campo de transmisión y recepción mucho más amplio. Los Niños de Ahora se comunican, dentro de nuestro mundo, por medio de cada partícula de su ser, y el mundo, a su vez, les responde. Pero ¿escuchamos de veras a nuestros niños?

Percepción consciente, ADN y energía

La consciencia no es la mente. La mente no es más que un constructor lógico, una herramienta que hemos desarrollado y que nos ayuda en nuestra supervivencia como seres humanos. Como parte de nuestro sistema de defensa, racionaliza, cuantifica y nos informa sobre nuestro progreso en el transcurso de nuestras experiencias. La consciencia tampoco es el ego; es la esencia de nuestro verdadero ser. No está enclavada dentro del cuerpo y puede desplazarse con facilidad a otros tiempos, lugares y realidades tanto en el tiempo real como en sueños. Nuestra consciencia es superluminar (más rápida que la velocidad de la luz) y es capaz de traer cualquier información o experiencia que deseemos o necesitemos desde cualquier lugar en la creación.

La consciencia es lo que entra en las células incipientes cuando somos concebidos. Trae recuerdos de nuestras vidas anteriores, y es por eso que tenemos lo que llamamos *déja vu*. Sí estuvimos allí. Es por eso que reconocemos a alguien aun cuando nos lo encontramos por primera vez. Sí lo conocimos antes. La consciencia es lo que va más allá de la realidad del aquí y ahora y nos trae información intuitiva sobre el pasado, el presente y el futuro. Es esa parte de nosotros que es siempre diligente y consciente de todo en la creación. Nuestra consciencia es capaz de mover montañas, cambiar la forma de la materia y viajar en tiempo y espacio, incluso a otras esferas de la realidad. Es capaz de procurar sanación en niveles profundos al penetrar en la consciencia de otros y conocer y sentir lo que ellos experimentan. Es nuestro poder más grandioso y nuestra sensibilidad más profunda.

Debido a que hemos aprendido a pensar y comunicarnos de una manera lógica, nuestra memoria de la consciencia pura se ha contaminado durante nuestro proceso evolutivo. En el transcurso de nuestro desarrollo natural, hemos cerrado la puerta a la percepción consciente de realidades mayores. Ahora, cuando la percepción consciente vuelve a nosotros, estas puertas se están abriendo de nuevo. Los Niños de Ahora llegan al mundo con estas puertas parcial o totalmente abiertas, y su conciencia hace con facilidad lo que hace tiempo hemos olvidado que la nuestra podía hacer. La consciencia de los niños recuerda quienes son y de dónde provienen y, a su vez, este recuerpo refleja nuestro verdadero yo.

A causa de que tanto la consciencia como el ADN se componen de energía eléctrica, trabajan en conjunto. Cuando nuestra consciencia y el ADN funcionan juntos, podemos obrar como *observadores y participantes intencionales conscientes* dentro de toda la creación. Nuestra consciencia experimenta cada nivel de la realidad y entonces comunica estas experiencias directamente al ADN por vía electromagnética. (Recordad que nuestro ADN recibe datos del ARN, los procesa y entonces comunica estas experiencias de nuevo a todo el cuerpo por vía del ARN.) Al mismo tiempo, el ADN trasmite esos cambios a la consciencia y, de nuevo, a toda la creación. Es un ciclo infinito, vital no sólo para nuestra existencia misma, sino también para cómo la experimentamos.

Cada pensamiento que tenemos, cada palabra que pronunciamos y cada sentimiento que experimentamos es una forma de energía y, por lo tanto, posee una rúbrica armónica a ésta. Cada rúbrica es una combinación de frecuencias que, al completarse, lleva mensajes específicos hacia nosotros y de nosotros hacia fuera. Por ejemplo, cuando tenemos una experiencia que es desagradable, podemos tener una reacción visceral dentro del cuerpo: un latido en el pecho o un nudo en la boca del estómago. A la inversa, cuando tenemos una experiencia que es agradable, nuestro pecho se «hincha» con las emociones del momento. Nuestro cuerpo reacciona ante lo que experimentamos. Cuando las frecuencias de energía de cada experiencia se comunican a través de todo el cuerpo, estas frecuencias no sólo nos afectan físicamente, sino que se convierten en parte de nuestra consciencia. Por lo tanto, cada experiencia queda grabada o impresa de modo físico (biológico) y energético (en nuestros campos de energía), y estas impresiones se convierten en parte de nosotros y de toda la creación. La consciencia se comunica también de manera directa con el ADN, así que tenemos una existencia etérea y física al mismo tiempo. El resultado de todo esto es que ya no somos aquello que fuimos hace un instante. Toda nuestra composición ha variado, y nuestra composición energética y armónica se ha adaptado a las circunstancias. Algunos de estos cambios son profundos, mientras que otros son mucho más sutiles.

Los Niños de Ahora poseen un sistema de comunicación universal aun más directo, aerodinámico y refinado, que pasa por alto muchos de los pasos que las generaciones anteriores necesitaban. Los campos de energía de los niños son transmisores y receptores vivientes. A causa de esto, algunos de los niños hacen gala de lo que parecen dotes raras, tales como las de los niños psíquicos en China que llevan a cabo hazañas asombrosas, o los índigos que se comunican por medio de redes energéticas. Los nuevos sistemas de energía de los Niños de Ahora son conjuntos de energía viviente. Esto es similar a tener una radio funcionando todo el tiempo sintonizando todas las emisoras a la vez. Algunos de los niños pueden filtrar el exceso de datos indeseados, otros no lo necesitan, y hay quienes han aprendido a procesar toda la información de manera simultánea porque sus cerebros funcionan de-modo diferente. Para los Niños de Ahora, todos los canales son accesibles al mismo tiempo y sin necesidad de ajustar el instrumento. ¡Pan-recepción!

Muchos de los Niños de Ahora dan muestras de asombrosa percepción consciente, conocimiento e intuición, de hecho, un conjunto ilimitado de dones. Utilizan de modo automático su consciencia a fin de que traiga respuestas, a ellos y a nosotros, sobre la vida y el ser más allá del tiempo. Por otra parte, a causa de la estructura y los patrones de su ADN, los Niños de Ahora son hipersensibles tanto hacia sus sentimientos como hacia los de las personas que los rodean. Su profundidad va más allá de la comprensión, y su compasión informa y energiza su consciencia social. Como consciencia encarnada –gracias a la evolución de su ADN– los Niños de Ahora representan un modo de ser nuevo por completo, y siguen evolucionando mucho después de haber nacido. Sus campos de energía se adaptan de manera constante, cambiando colores y patrones de movimiento, volviéndose más y más claros en sus espectros cromáticos generales.

Aquellos niños que reciben apoyo en sus dones, prosperan y llegan a crear arte, música, ciencia y dan muestras de sabiduría. Ven la verdad de nuestro ser como ningún humano lo hizo antes, y tienen la capacidad de expresar estas percepciones con tremendo amor y sensibilidad. Por desgracia, a muchos de los Niños de Ahora no se les escucha. Sus revelaciones se dejan a un lado, como fantasías o exceso de imaginación. ¡La verdad es que sus percepciones y experiencias son muy reales!

Malentendidos médicos

Capítulo 2

La armonía y el funcionamiento cerebral

Cuando recibimos estímulos de cualquier tipo, nuestro cerebro trabaja enviando impulsos eléctricos que llevan mensajes por vías neuronales dentro de nuestro cerebro y por todo el cuerpo. Estos mensajes se llevan y se tramiten también en ambas direcciones entre nuestra conciencia y toda la creación. Nuestros sistemas de mensajes funcionan en forma de campos de frecuencias electromagnéticas o de energía. Los campos de energía en el interior y alrededor de nuestro cuerpo, y los que existen de manera multidimensional son también electromagnéticos por su naturaleza. Todos los niveles energéticos de la existencia se comunican constantemente entre sí. Esto se parece mucho a estar «*on line*» todo el tiempo, recibiendo sin esfuerzo cualquier información que necesitemos en cualquier momento dado. Puesto que usamos nuestro cerebro de una manera lógica, generalmente no nos damos cuenta de las comunicaciones más sutiles que experimentamos.

Las personas dotadas poseen cerebros que funcionan de un modo diferente. Recordad: la energía lleva información, y el cerebro utiliza energía para su funcionamiento. Las personas intuitivas o provistas de dotes metafísicas poseen un innata capacidad de «acceder» a diferentes niveles de energía sutil y, por lo tanto, a otras realidades, donde experimentan precognición y, en algunos casos, liberan su consciencia lo suficientemente como para explorar otros tiempos y lugares, y realidades más allá de la tercera dimensión. Para las personas con dotes intuitivas o provistas de algún otro don paranormal, los mensajes que contiene la energía se distribuyen en el cerebro de una manera diferente, de modo que se comprenden (al menos en algún nivel de la percepción consciente) y no se pierden en el funcionamiento cerebral lineal. No todo este funcionamiento diferente resulta visible en pruebas médicas, porque la comunidad médica aún tiene que considerar en serio las posibilidades o el impacto de las energías sutiles. Aún no poseen instrumentos para medir estos tipos de energía, más finos y más sutiles.

Con frecuencia, debido a determinados estímulos o cambios en las relaciones del funcionamiento energético, un niño de la nueva evolución puede tener un aspecto diferente o incluso francamente disfuncional. En otras palabras, algunos de los Niños de Ahora no parecen funcionar de una manera «normal» en un nivel mental, emocional o físico. Algunos de estos niños experimentan todo tipo de aparentes discapacidades, desde menores hasta substanciales. Muchos de ellos parecen profundamente discapacitados en el sentido físico, mientras exhiben una claridad espiritual que demuestra un dominio y una sabiduría mayores que las de la mayoría de los adultos. Aquellos que parecen muy afectados, con frecuencia no hablan ni pueden hablar, y muchos se comunican por telepatía con mayor facilidad que la mayoría de nosotros lo hace con palabras. Algunos niños, además, no se conducen en determinadas situaciones de una manera «normal», como se espera de ellos. Otros parecen estar «volando» o «fuera del programa». Esto se debe a que su programa va mucho más allá de nuestro sencillo programa cotidiano.

Algunos de los niños parecen simplemente «dotados de un modo diferente». Son en sumo grado intuitivos y poseen dotes brillantes, y sin embargo muestran evidentes dificultades en el aprendizaje lineal o para memorizar. Debido a su gran inteligencia, se muestran muchas veces aburridos, dan muestras de apatía en forma de un cumplimiento académico pobre o de conductas disruptivas. Una causa de esto es que, debido a la muy rápida naturaleza de la evolución en nuestros días, energías cambiantes o inarmónicas se alojan algunas veces en las ondas cerebrales y en todos los campos energéticos de los niños. Las relaciones energéticas dentro del cerebro y todo el sistema de energía encuentran estática, de un modo muy similar a lo que ocurre en una emisora de radio. Dentro del cerebro, los patrones de energía empiezan a funcionar de un modo circular, y esto afecta las áreas de inteligencia a que el niño puede acceder. A la inversa, en algunos niños los campos de energía dentro del cerebro se unifican, creando un campo energético que accede a las partes del cerebro que las personas no usan normalmente.

Debido a estos cambios energéticos aparentemente anómalos, algunos de los niños muestran disfunción física, brillantez general (o dones en algún campo determinado) e incluso una notable perceptibilidad espiritual inherente. Las posibilidades son infinitas y dependen tan sólo de la organización de los campos de energía sutil dentro del cerebro de los niños.

Aunque un electroencefalograma (EEG) mide respuestas eléctricas en el cerebro, por lo general no capta este tipo de actividad. Por esta razón, muchos niños con estas anomalías tienen resultados normales en la pruebas y, por lo tanto, se les cataloga como «misterios médicos». Esto se debe a que el campo de la medicina no toma en cuenta las relaciones electromagnéticas ni en el interior ni alrededor del cuerpo, o siquiera el hecho de que cada ser humano se compone de capas sobrepuestas de formas y campos de energía sutil. Los aspectos multidimensionales de los niños, que interactúan todo el tiempo, tampoco se toman en consideración.

Nuevas relaciones dentro de nuestros campos de energía nos capacitan a veces para acceder con nuestra conciencia a otras realidades. Tenemos la capacidad de hacer más eficiente nuestra receptividad universal, lo cual trae una mayor perceptibilidad consciente a nuestra experiencia en la tercera dimensión. Cuando la actividad de las ondas cerebrales responde a los cambios electromagnéticos, a veces estas frecuencias se unen, creando patrones interesantes. Las ondas gamma, e incluso en ocasiones algunas frecuencias superiores, empiezan a prevalecer más. Las ondas gamma son nuestras ondas cerebrales de la frecuencia más elevada, es un paso muy por encima de las ondas cerebrales theta, a las que accedemos por medio de meditación o en nuestros momentos intuitivos. Hasta la fecha, la ciencia moderna no ha aprendido lo suficiente como para explicar lo que sucede cuando las ondas gamma se vuelven más predominantes o empiezan a prevalecer más dentro de nuestro cerebro. Cuando nuestras ondas cerebrales comienzan a adoptar nuevos patrones, esto afecta la conciencia, lo cual no se refiere al despertar o al dormirse, aunque, en cierta medida, sí lo hace. «Nos despertamos» hacia realidades mayores.

La consciencia de los Niños Nuevos se vuelve más perceptiva de realidades alternas y mundos multidimensionales. De hecho, al final, su consciencia se vuelve libre tanto de las limitaciones espaciales como cronológicas. Estos niños pasan con facilidad de una realidad a otra y permanecen conscientemente perceptivos de todas las realidades a la vez. Esta consciencia inicial es lo que puedo llamar *iniciación*, el estado en que los patrones de nuestras ondas cerebrales se unifican, y se inicia un temprano reconocimiento de realidades de otros mundos. En esta etapa, hay percepción consciente de que otras realidades existen, pero la experiencia no va más allá. La etapa siguiente es la *comunión*, que implica interacción consciente con otras realidades. El niño no sólo está consciente de otras realidades, sino que comienza a comunicarse fluidamente con ellas. Esto significa ver a otros seres en otros planos de realidad, y hablar con ellos. (¡Esto da un significado nuevo por completo al concepto de amigos invisibles!) Comunión significa asimismo experimentación intencional de las energías de otras realidades e incluso aprendizaje de ellas. Los niños son capaces de ver a sus guías y otros seres etéreos e interactuar e incluso desarrollar amistad con ellos. Son capaces de proyectar su consciencia afuera, hacia el constructor universal para viajar en el espacio y el tiempo y traer a nuestro mundo sabiduría desde mucho más allá.

Autismo

En la actualidad, hay muchos más niños que antes con el diagnóstico de autismo, y su número va creciendo. La consciencia es una cosa asombrosa que la mayoría de los profesionales –de hecho, personas en general– no comprenden. Es por eso que los diagnósticos médicos suelen ser, según opinión de esta autora, erróneos.

A veces, cuando los niños nacen con dotes tan enormes, y estas dotes no se les reconocen ni se les da ánimo, los pequeños comienzan a retraerse al interior de sus realidades alternas. En estos casos, parece que los niños se encierran en su interior, con ausencia parcial o absoluta de conciencia de su entorno tridimensional.

La verdad es que es más fácil relacionarse a partir de un estado de consciencia pura que lidiar con que no se te escucha o no se te reconoce. A estos niños les resulta difícil traducir las experiencias etéreas, que su consciencia atraviesa con tanta facilidad, al lenguaje humano cotidiano. Desde luego, no todo diagnóstico de autismo implica esta clase de malentendido, pero es simplemente algo que ocurre cada vez con mayor frecuencia a medida que estos niños excepcionales llegan a nuestro mundo.

Una presentación estándar de una armonía que funciona de un modo diferente es autismo. En autismo, las sendas de la energía electromagnética dentro del cerebro se ven atrapadas en un circuito. En otras palabras, la energía fluye por un patrón circular o elíptico en un área pequeña del cerebro. Como algunos de los patrones energéticos se vuelven circulares en su funcionamiento, otras partes del sistema energético, los receptores sensoriales, quedan «atascadas en marcha». (Repito, es importante tomar nota de que no todos los niños que dan muestras de rasgos de autismo pertenecen a la nueva evolución. Aquí nos limitamos a tratar sobre aquellos niños que poseen nuevos patrones energéticos.)

Cuando las comunicaciones electromagnéticas en el cerebro comienzan a formar un circuito, el niño se ve «atrapado» en ese pequeño margen. La red de neuronas dentro del cerebro desarrolla un formato pequeño, restringido, que a su vez limita la capacidad del niño para interactuar de modo normal en un nivel tridimensional. Es por eso que observamos diversos niveles de autismo: casos menores, cuando los niños siguen siendo bastante funcionales, pero con dificultades; niños moderadamente afectados, que son funcionales sólo de manera parcial pero parecen obrar con conciencia presente; e incluso los sabios, quienes son verdaderos genios en áreas específicas. Desde el punto de vista armónico y energético, lo que pensamos que es autismo, en muchos casos no es más que reordenamiento de relaciones armónicas dentro de los campos de energía electromagnética en el cerebro y quizás, en el cuerpo entero.

La sensación de tacto causa a muchos de estos así llamados niños autistas un sentimiento de inseguridad. Esto se debe a que, cuando se les toca, sienten todo lo que otras personas han experimentado alguna vez: sus más profundos temores y sentimientos, y la oscuridad y la luz en su interior. En añadidura, la mayoría de los niños autistas no pueden tolerar estar limitados en modo alguno, porque estar dentro de su cuerpo ya les resulta difícil. Algunos de ellos ni siquiera pueden soportar llevar ropa o calzado. Repito, esto no se aplica a todos los niños autistas, porque hay otras causas que son las del autismo verdadero. Sin embargo, dentro del contexto de los Niños Nuevos, es un fenómeno bien definido.

Hay una escuela de pensamiento según la cual el mercurio que contienen las vacunas que se ponen a los niños, en nuestro entorno e incluso en los productos del mar que ingieren las futuras madres puede contribuir al surgimiento del autismo. De hecho, la mayor parte de la toxicidad del mercurio en los seres humanos proviene de la ingestión de los productos del mar. Otra fuente de toxicidad de mercurio procede de la amalgama, rica en mercurio, que los dentistas han usado y siguen usando para empastar nuestros dientes. Con el paso del tiempo, el mercurio se escapa de los empastes y penetra en nuestros sistemas.

Es un hecho científico que el mercurio es altamente conductor y, en realidad, puede utilizarse como combustible para crear energía eléctrica. Cuando existe conductividad eléctrica, se genera un campo electromagnético. Por lo general, el campo electromagnético tiene una polaridad opuesta al campo eléctrico, pues el eléctrico gira en una dirección, y la polaridad electromagnética gira en la dirección opuesta. Esta oposición de polaridades crea equilibrio y estabilidad. Sin embargo, cuando tanto la polaridad eléctrica como la electromagnética giran en la misma dirección, las puertas entre el tiempo y el espacio se abren, las barreras entre nuestra realidad y la de otros mundos desaparecen, y la fuerza gravitacional deja de existir. Este fenómeno es exactamente igual a cómo funciona la tecnología antigravitacional, y cómo, al parecer, los ovnis van y vienen a nuestro mundo. Es así cómo se consigue viajar en el tiempo y cómo nuestra consciencia funciona dentro de esta realidad y más allá.

Por lo tanto, si existe un exceso de mercurio en el cuerpo humano, este mercurio puede contribuir al mal funcionamiento de las relaciones y los patrones electromagnéticos dentro del cerebro, de ahí los patrones en forma de circuitos y el autismo, como también otros comportamientos anómalos de la consciencia y el conocimiento. La presencia del mercurio puede, realmente, crear una nueva relación electromagnética dentro del cuerpo, causante de que la ignición eléctrica cambie o se comunique de un modo diferente. Cuando estos cambios se producen, el niño manifiesta carencia o cambio en determinadas conductas y, por lo tanto, se le considera «anormal».

De hecho, cuando un niño nace con nuevos patrones de energía y sistemas de patrones electromagnéticos más refinados, y luego toxicidades metálicas se introducen en su sistema, la toxicidad puede, de hecho, aumentar en gran medida las diferencias armónicas o la disfunción en general, y puede contribuir tremendamente a que se produzcan cambios en las relaciones eléctricas y electromagnéticas dentro de todo su cuerpo físico. Se forman las nuevas relaciones energéticas, y en su contexto viene un conjunto de problemas nuevo por completo. La toxicidad causada por metales se puede determinar con facilidad por medio de simples análisis de sangre o análisis de muestras de cabellos, que puede prescribir un médico.

DDA y DDAH

Los niños que utilizan el nuevo patrón de ondas cerebrales muchas veces aparentan tener el desorden de déficit de atención (DDA) o el desorden de déficit de atención e hiperactividad (DDAH). Lo que esto significa es que el niño parece tener dificultad para dedicarse a una tarea, prestar atención o mantener la concentración. La verdad es que los Niños de Ahora no piensan de la misma manera que sus predecesores. Los seres humanos suelen pensar en forma lineal, con un pensamiento siguiendo a otro de manera lógica en una ordenada línea recta. Cada vínculo en la cadena de la razón sirve al propósito de conectar una pieza de información a la siguiente hasta que se construya una historia que tenga sentido lógico.

Los Niños de Ahora poseen cerebros que funcionan de un modo diferente. En vez de utilizar una lógica lineal, piensan compartimentadamente. Para visualizarlo, imaginad que el cerebro de estos niños extraordinarios posee muchas cantidades de pequeñas gavetas, cada una de la cuales mantiene diversos tipos de información. Las gavetas se abren de manera categórica, con frecuencia muchas a la vez. El resultado puede asemejarse a los síntomas de DDA y DDAH, ya que el niño parece no permanecer en ningún sendero reconocible, salta de una cosa a otra, con frecuencia a paso acelerado. Cuando los Niños de Ahora piensan, son capaces de saltar de un tema a otro, reconociendo y almacenando datos para su uso posterior o hasta tener la suficiente información como para que su totalidad empiece a tener sentido.

Debido a este nuevo patrón de pensamiento y sus aumentadas capacidades de aprendizaje, los Niños de Ahora, en particular los niños cristal y los hijos de las estrellas, parecen tener DDA o DDAH. La verdad es que estos niños no necesitan pensar durante mucho tiempo en las cosas, si es que llegan a necesitarlo, porque ya han almacenado ordenadamente la información para su uso futuro. En vez de decir que DDAH es el desorden de déficit de atención e hiperactividad, diría que es más bien la capacidad de emprender una hiperactividad dimensional.

Con una consciencia liberada y desembarazada de sistemas de creencias, los Niños de Ahora poseen la libertad inherente de permitir a su consciencia viajar cuando quiera y por dondequiera según sus deseos, ¡manteniéndose al mismo tiempo en la tercera dimensión!

Además de que se diga que tienen déficit de atención, a muchos de los Niños de Ahora se les califica también de hiperactivos. No lo son en absoluto, a no ser como síntoma de su experiencia. Cuando un niño o una niña es capaz de reunir y almacenar información de modo compartimentado, lo hace con velocidad de rayo, y el proceso suele escapar de nuestra atención. Luego, cuando todos los demás tratan de ponerse a su nivel haciendo uso de su más pesada lógica lineal, el niño dotado se aburre y se vuelve impaciente. En muchas ocasiones, la impaciencia se manifiesta como mala conducta. El niño simplemente ha perdido interés, así que se pone a dar vueltas por el aula, el hogar o cualquier otro sitio. Con el paso del tiempo, el niño suele volverse disociador.

Estos niños no son disfuncionales, simplemente son diferentes. Si usamos los ordenadores a modo de metáfora, las generaciones anteriores son como los primeros ordenadores, que funcionan todavía con el programa DOS. Sus procesadores sólo son capaces de realizar una función en un programa a la vez en una progresión lógica hasta terminar la tarea. Este proceso es lógico y lineal, y sigue la línea del lenguaje de programación de una cosa a otra. En contraste, los Niños de Ahora obran más bien como los últimos superordenadores, realizan consciente e intencionalmente muchas tareas a la vez y jamás pierden el rastro de ninguna línea a lo largo del camino. Su información se procesa como energía pura, así que no tienen demora en el proceso de comunicación. Este proceso es demasiado veloz para las palabras. La técnica de asimilación de los niños es superluminar: más rápida que la velocidad de la luz. Para ellos, este modo veloz de procesar es natural. Muchos de los niños no se dan cuenta consciente de que son diferentes; sólo funcionan a su manera.

Este funcionamiento aparentemente disperso crea una percepción errónea por parte de maestros, padres y otros cuidadores que piensan que tal vez exista en el niño una discapacidad para aprendizaje o algún otro defecto que le impide seguir la lógica lineal. Se hacen esfuerzos para reducir al niño a determinadas normas y reglas sociales, y estos esfuerzos conducen, con tiempo, a una conducta aun más disociadora. Con frecuencia, estos niños son considerados como fracasos en sistemas de escuelas públicas y se les tilda de niños-problemas. En última instancia, el niño se vuelve resentido contra una sociedad que no lo comprende ni los puede comprender. El niño ya se siente mal adaptado, porque su percepción consciente va mucho más allá de la comprensión de la mayoría de las personas. Por lo tanto, la auto-imagen se empaña, surgen problemas de conducta, puede aparecer la depresión, y la comunicación va menguando porque, después de todo, igual, nadie podría escucharlos. Puede desarrollarse cualquier número de respuestas negativas, y todo porque a un niño dotado no se le reconoce o se le desanima.

En vez de celebrar sus diferencias, damos a estos niños medicamentos contra la depresión y la hiperactividad, para mejorar su estado de ánimo o para calmarlos. Con estos medicamentos, los niños se vuelven más tranquilos y más manejables, y parecen prestar más atención, pero desde el punto de vista emocional, espiritual y evolutivo se ven disminuidos. Es como si la sociedad hubiese determinado que estos niños son trenes que se escapan, y que la única manera de controlarlos es construir muros de ladrillos a lo largo de las vías, en forma de drogas. Cuando el tren, de modo inevitable, choca contra un muro, se destruye, exactamente de la misma manera que se destruyen los niños a quienes se les dan «medicamentos» para que se conduzcan de acuerdo con los viejos paradigmas sociales. Cuando a estos niños se les administran medicamentos, las puertas hacia una consciencia superior se vuelven, por lo general, inalcanzables. Los niños pasan de la emoción por la vida a la apatía. Con los medicamentos necesitan menos atención, están más tranquilos y fáciles de manejar, pero ¿qué es lo que se resuelve, en realidad?

Alguien ha logrado poner la situación «bajo control». Control, este viejo paradigma que requiere que alguien, o unos cuantos, estén todo el tiempo a cargo de todo. El hecho es que el control no es más que una percepción del ego que, en verdad, no es aplicable. La idea del control sostiene que alguien está separado del todo y sobrepone sus propias experiencias y percepciones a las de otro u otros. Cuando alguien sostiene que está en control, es la situación donde se trata sobre esta persona, y no sobre alguien más. Lo que el controlador desea según su propio marco de referencia no es necesariamente para el bien de cualquiera que esté involucrado. Control es poder *percibido*.

Una de las mayores verdades que los Niños de Ahora conocen sin lugar a dudas, es que todos somos uno. Somos partes de un todo que es mayor que cualquiera de nosotros individualmente. Cuando comenzamos a situarnos aparte, de manera categórica o de cualquier otro modo, empezamos a dar un paso hacia fuera de esta verdad, y los Niños de Ahora lo saben. Cuando un niño conoce la verdad en su corazón, y los adultos y otros niños tratan de hacer que este niño viva al margen de esta verdad, es que se le pide que traicione su extraordinario ser. Se le pide, básicamente, que mienta y que acepte estar separado del todo. Esto va en contra de todo lo que el niño conoce como verdadero y, debido a que este conocimiento es profundo, tal separación del todo le duele en el corazón en el sentido literal de la palabra.

En mi opinión, los déficits de estos niños peculiares no radican en atención, capacidad cognitiva o habilidades sociales; están en su entorno social. La sociedad carece de conciencia de esta de evolución cada vez mayor de la humanidad, es deficiente en atención hacia estos niños, no proporciona entornos educacionales apropiados o sistemas familiares de apoyo, y hace oídos sordos a lo que los niños dicen realmente. Nuestra sociedad, como muchas otras, requiere por lo general una víctima expiatoria para culparla de su propia ineficacia, y estos son aquellos a quienes se persigue por que hacen algo fuera de lo común, o por el contrario, no hacen nada. Nuestra sociedad debe cambiar sus modos de percibir a los Niños de Ahora, o tendremos cada vez más niños dejados a la orilla del camino que, de otro modo, hubieran creado un poderoso y positivo cambio en nuestro mundo.

¡Los orbes son también personas!

Capítulo 3

Enviar nuestra consciencia hacia fuera en forma de perfección geométrica nos permite volvernos ilimitados en el espacio y no obstaculizados por el tiempo. Trabajando así dentro del mismo constructor donde todo está creado, no podemos equivocarnos.

EL ORBE SALAMANDRA

¿Qué son los orbes, al fin y al cabo?

Los orbes son campos de energía de forma esférica que se pueden observar con frecuencia en fotos o vídeos. Se parecen mucho a unas burbujas perfectamente redondas pero que no son huecas en el interior. Los orbes parecen moverse según su propia voluntad y, con frecuencia, se les ve o se les fotografía como esferas multicolores de variados e intrincados diseños interiores. Existen opiniones encontradas en cuanto a su procedencia, pues los orbes no todos son del mismo lugar. Un orbe es, de hecho, un método de comunicación que puede cruzar tiempo, espacio, dimensiones e incluso límites intergalácticos. Algunas personas los ven o sienten realmente.

Los escépticos suelen decir que los orbes no son más que meras partículas de polvo en el aire. Sin embargo, no todos los orbes son polvo. Durante años tuve muchas interrupciones en mis tareas diarias a causa de una voz que parecía proceder de la nada y que me decía que tomara la cámara, saliera afuera o diera una vuelta, ¡y *cada vez* que seguí este consejo obtuve fotografías de orbes! Muchas de estas fotos permiten ver el movimiento real de los orbes al mostrar una «estela», o un rastro de energía, detrás de ellos. En cierto modo parecen pequeños cometas que cruzan el espacio fotográfico. A veces, el mundo de espíritu revela su presencia en forma de orbe u otras anomalías en fotografías. Tomé fotografías de orbes en lugares que tienen fama de estar «embrujados», y han sido descritos en los nuevos programas dedicados a estos lugares. A lo largo de los años me he encontrado con muchas per-

Figura 3. Foto de orbes junto a una rejilla cristalina. Cortesía de Mikael Koch.

sonas que, literalmente, pueden invocar a los orbes, y éstos aparecen en fotos. Fotografías de control tomadas antes de la «invocación» no muestran nada, pero una vez que se les pide que se muestren, los orbes se manifiestan gustosos en las series siguientes de fotos.

Me he sentido siempre fascinada por lo que los orbes pueden significar en realidad. Después de todo, si se mira este tema desde un punto de vista metafísico, se obtiene un significado nuevo por completo con un potencial ilimitado. Recientemente he descubierto que este fenómeno implica mucho más que hallar extrañas y curiosas anomalías en fotos: ¡los orbes encarnan consciencia! ¿Puede esto ser cierto? ¡Sí, es cierto!

Viaje hacia un descubrimiento

La mejor manera de describir este asombroso descubrimiento es compartir con el lector cómo llegué a él. No soy ajena a las experiencias raras. En las etapas tempranas de mi despertar, al volverme más consciente de mi sistema energético, mi sentido de realidad cambió de un modo dramático. Me hice sumamente consciente de una magnitud de diversos tipos de energía en otros planos de realidad. Cada mañana dedicaba un tiempo a explorar estos nuevos y asombrosos descubrimientos. Comencé a ser capaz de ver energía, y con tiempo aprendí a manipular energías sutiles por medio de movimiento y música. Cuando lo hice, mi capacidad de percibir una realidad mayor aumentó. Empecé a tener experiencias que no podía relatar a nadie, y esto resultaba frustrante.

Cada mañana, cuando trabajaba con la energía, rogaba en voz alta para obtener asistencia de cualquiera en el universo que procediera de la luz y que pudiera aconsejarme y fuese mi guía. «Enséñame», decía. Una mañana, cuando llevaba a cabo mi rutina diaria, volví a pedir consejo, y un resplandeciente Maestro se materializó ante mí. ¡Estaba de pie en mi sala, un holograma viviente, y su resplandor era asombroso! Era muy alto, con vestimentas rojizas, y su cabello era largo y flotante. Irradiaba luz que era intensa y suave a la vez. ¡Este momento fue, obviamente, una inmediata e irrevocable alteración de mi realidad como escritora! El Maestro me mostró cómo usar la energía de maneras que aún no se me habían ocurrido y, por último, me enseñó a manipular la energía para sanar, para manifestar una realidad superior e incluso para aprender. Pasando el tiempo, hubo una sucesión de Maestros que me enseñaron sobre temas tan diversos como el constructor universal, muchas de las ciencias, sanación, etc. Incluso hoy en día, los Maestros me guían casi todo el tiempo. Es algo similar a estar conectada de modo inalámbrico y *on line*, recibiendo directamente en la cabeza información sobre cualquier tema dado. Sé que es extraño, pero es verdad, y mucho de lo que ellos me han dicho se ha confirmado científicamente mucho después de recibir la información.

Fue un viaje asombroso en que aprendí a confiar, a estar abierta hacia lo inesperado y a tener fe en que cada momento, pase lo que pase, es perfecto. Cuando lo hago, mi vida se vuelve asombrosamente positiva, y recibo un impulso mucho mayor que yo misma. Debido a esto, mi trabajo me lleva de un lugar a otro por todo el planeta para encontrarme y conversar con miles y miles de personas. Cada encuentro sin excepción me enseña algo nuevo. Cuando decidimos abandonar el control aprendido y confiar de veras al instante, ocurren las cosas más asombrosas. Comenzamos a experimentar el carácter sincrónico de nuestra vida. Los obstáculos se desintegran y dejan de existir, y un acontecimiento asombroso conduce a otro y otro más. La vida empieza a parecer una danza de coreografía infinita. No existen meras coincidencias, sólo oportunidades.

Los Maestros suelen darme información científica que va más allá de mi comprensión. Por lo general, tengo una idea correcta acerca de lo que trata la información, pero muchas veces involucra datos complejos que superan mi esfera de educación. Suelo pasar este tipo de información a alguien que pueda darle el mejor uso. Muchas veces he dicho en broma que todos aquellos a quienes necesito encontrar con este propósito, al final hacen su aparición en mi sala. Las personas más asombrosas han venido en el momento apropiado, con la formación apropiada o con vínculos para lo que yo necesitaba compartir precisamente en ese momento. Por ejemplo, cuando me hacía falta información sobre genética, una especialista en genética me solicitó una cita; vino preguntándose para qué había venido. ¡Lo averiguamos muy pronto! En nuestra conversación, comencé a compartir con ella algo de la información que había recibido sobre los cambios de comunicación dentro de las cadenas del ADN humano. Se asombró mucho al escuchar lo que los Maestros me habían enseñado, porque los científicos acababan de descubrir el fenómeno hacía apenas una semana. Para entonces, hacía dos o tres años que yo poseía esta información. ¡Fue muy divertido compartir con ella lo que se descubriría a continuación! Con tiempo, nos hicimos muy buenas amigas. En otra ocasión, cuando estaba buscando información sobre determinados aspectos de la energía nuclear, un ingeniero nuclear se citó conmigo y fui capaz de compartir información con él. (Más tarde, me casé con él ¡así que cacé dos pájaros de un tiro!) Van y vienen especialistas en cohetes, biólogos, patólogos, naturópatas, homeópatas, acupuntores, productores de cine, muchos otros, vienen y seguirán viniendo, porque *creo*. Estoy abierta a realidades superiores.

Durante los últimos años he recibido vasta información sobre los Niños de Ahora, en varias formas. He trabajado con muchos niños y sus familias y he descubierto que todo en esta información se correlaciona cosa que los propios niños han confirmado. En particular, el año pasado me trajo tantos descubrimientos y experiencias nuevas y asombrosas que hubo cosas que entonces aún no comprendía, pero ahora ya comprendo. James Twyman hizo una gran contribución a nuestro mundo cuando descubrió que los niños índigo se comunican psíquicamente a lo largo de líneas que forman una rejilla universal. Los índigos se comunican entre sí y con otras personas así «sintonizadas» desde cualquier parte y en cualquier momento. Son verdaderamente asombrosos. Twyman se encontró con muchos niños que empezaron a conversar con él de esta manera, y ha hecho maravillas al exponer este fenómeno, real por completo, al conocimiento del mundo. De modo similar, algunos de los Niños de Ahora se comunican de una manera diferente que es extraordinaria e igualmente real. Una sucesión notable de acontecimientos me la llevado a esta revelación.

Durante el verano de 2005 me comprometí a presentarme en una conferencia en Spokane, Washington. Me había presentado allí durante varios años consecutivos, y en cada ocasión el público solía esperar que ofreciera talleres dedicados a ciertos temas. Una vez, meses antes del acontecimiento, los Maestros me dijeron que *debía* hablar sobre los niños. Yo estaba un poco insegura, porque, después de todo, nunca me había considerado una autoridad en niños. Había trabajado con muchas familias pero no me sentía en posesión de suficiente información organizada, sólida o probable como para hacer una presentación pública apropiada. Los Maestros fueron inexorables. Dentro de mi cabeza, escuchaba: «Habla sobre los niños», una y otra vez. ¡No me iban a dejar tranquila! (Cuando los Maestros desean que haga algo, no cesan hasta que accedo. Con franqueza, a veces esto pude ser bastante enojoso. He aprendido que, cuando se vuelven tan persistentes, lo mejor es prestarles atención, incluso si lo que dicen va en contra de mi experiencia y lógica acumuladas hasta el momento.) Por lo general, cuando los Maestros me empujan así, mi vida se vuelve hacia un terreno más elevado. Recibo más comprensión, nuevas ideas, mayores conexiones y nuevos lugares donde enseñar, de hecho, todo tipo de resultados positivos. Resistir no tiene sentido, porque en última instancia me encuentro haciendo exactamente lo que ellos desean, ¡y resulta siempre perfecto! «Está bien», dije al final.

Mi conferencia sobre los niños despertó interés y recibió una respuesta sumamente generosa, tanto en venta de entradas como en aquellos que fueron a la exposición para compartir conmigo sus historias. Me vi rodeada por completo de personas que llegaban a mi stand y me detenían en los pasillos con sus historias, preguntas y preocupaciones en general sobre niños específicos. Cuando me di cuenta de hasta qué punto las personas necesitaban información sobre los Niños de Ahora, empecé a comprender el propósito de los Maestros.

En la mañana anterior a mi conferencia, una mujer cuyo nombre era Julie se detuvo junto a mi stand para hablarme. Tenía en las manos un álbum que estaba impaciente por mostrarme. Julie empezó a contarme su historia. Me dijo que vivía en una pequeña comunidad en Montana y que era enfermera e intuitiva médica. De modo similar a mi experiencia, a Julie la buscaban regularmente médicos, abogados y otros profesionales, como también niños y sus familiares en relación con su trabajo con determinado tipo de niños. Julie me contó historias fantásticas sobre los niños con quienes trabajaba y sobre cómo los había encontrado, ¡mejor dicho, cómo ellos la habían encontrado a ella! Julie podía «recibir mensajes». (Respecto a esto, puedo estar segura.) De repente, Julie podía escuchar algo así: «Ve a tu coche y ponte en camino», y lo hacía, sin tener la menor idea hacia dónde se dirigía. Cuando llegaba a su destino, se le «decía» que había llegado, así que caminaba hacia la puerta y llamaba. Cuando le respondían, Julie preguntaba sin menor vacilación: «¿Hay un niño aquí?» ¡Y *siempre* había!

Los niños llamaban a Julie por medio de telepatía.

Por lo general, los niños que llamaban a Julie tenían serias discapacidades físicas. No podían hablar, y algunos no podían oír ni ver, así que se comunicaban por telepatía. En otras palabras lograban que su consciencia estableciera comunicación silente. En una casa que Julie visitaba, en cuanto llegó, un niño le dijo con júbilo, por medio de la telepatía y en el lenguaje de señas, todo cuanto a ella le había sucedido durante aquel día hasta el momento de llegar a verlo. ¡El niño conocía, con lujo de detalles, *todo* cuanto ella había hecho, experimentado y sentido durante el día entero! Durante estas visitas, Julie supo con frecuencia que un niño o una niña estaban a punto de verse confinados a una institución a causa de sus graves discapacidades, debido al hecho de que el elevado nivel de cuidados que necesitaban para mantener su bienestar era imposible proporcionárselo en el hogar. Por lo general, Julie preguntaba a los padres o cuidadores si le permitirían trabajar con el niño, y la respuesta solía ser positiva, ya que las familias estaban desesperadas por obtener ayuda.

Después de contarme toda esta parte de su historia, Julie abrió su álbum de fotos y empezó a mostrarme retratos de los niños. En su mayoría, los niños parecían completamente normales. Fueron las anomalías en las fotos las que llamaron de inmediato mi atención: al ser fotografiados, los niños mostraban campos de energía en formas pictóricas. Exhibían orbes cromáticos que, con frecuencia, estaban llenos de patrones geométricos sagrados o representaciones de fórmulas matemáticas tales como la de Mandelbrot. Cuando Julie se percató por primera vez de las anomalías en las fotos, se preguntó si los orbes eran un resultado de algún problema en la cámara o algo en el aire. Sintió que estaba sucediendo algo mucho más importante, así que empezó a experimentar con diversos tipos de cámaras. Intentó con una digital, con una de 35 mm y con cámaras desechables, lo que encontrara a mano, y los resultados fueron siempre los mismos: orbes con patrones geométricos y en colores vivos. Pero estas fotos eran mucho más complejas que las fotografías «corrientes» de orbes. Cuando Julie preguntaba a los niños sobre lo que veía en las fotos, ¡le decían que creaban las anomalías con toda intención! Así resultaba que los orbes eran proyecciones intencionales de la consciencia. Al oír esto, me sentí muy emocionada. Durante años había sospechado esto mismo sobre los orbes, pero, hasta entonces, no había podido probar mi teoría.

Cada fotografía mostraba orbes distintivos que eran únicos para el niño de la foto, independientemente de cuándo y dónde se la había tomado. Cada orbe, en su complejidad, era una representación energética identificable de ese niño, y las anomalías eran constantes a través de toda su colección de fotos. Se repetían en fotografías tomadas en diferentes lugares mientras los niños y sus cuidadores participaban en diversas actividades. Los niños «estampaban» con intención sus «firmas» energéticas. Pero había más. Después de haber tomado las fotos iniciales, Julie y sus amigos empezaron a ahondar en sus experimentos. Un día llevaron a dos de los niños (de quienes se sabía que se comunicaban entre ellos por telepatía) a diferentes eventos deportivos en extremos opuestos de la ciudad. Entonces, al mismo tiempo y en sus respectivos lugares, se tomaron fotos de ambos niños. *Las fotografías de ambos niños mostraban exactamente el mismo conjunto de orbes con interiores diseñados de modo idénticamente intrincado.* Los niños habían mezclado frecuencias armónicas a fin de expresar lo mismo en forma pictórica. Esto no fue accidental. Tuve que admitir que estaba impresionada. Pedí a Julie que presentara las fotos durante mi conferencia ya que pensaba que eran un complemento valioso al misterio de los Niños Nuevos. Sabía que había algo más en todo esto, pero simplemente entonces no lograba captarlo.

Llegó la tarde de mi conferencia. La presentación iba a durar dos horas. ¿Cómo llenaría este tiempo? ¿Sabía lo suficiente de mis encuentros y conversaciones con los niños y los cuidadores como para que tuviera sentido exponerlo frente a un auditorio? Bueno, la presentación se desarrolló de un modo maravilloso, y comprendí que mis experiencias habían proporcionado un cúmulo de información mucho mayor de lo que imaginaba. Después de referirme a las descripciones y rasgos básicos de diversos niños, sostuve con el público un forum-debate abierto para que contribuyeran con sus preguntas, comentarios y experiencias personales. Mientras conversamos, el auditorio se manifestó emocionado por tener la oportunidad de expresar sus interrogantes y preocupaciones sobre niños a quienes conocían o tenían en sus familias, y me sentí sobrecogida por su receptividad. No sólo las dos horas asignadas se nos fueron en un santiamén, sino que cuando nuestro tiempo de estar en el salón de conferencias se hubo agotado, seguimos con nuestro debate en medio del pasillo durante casi otro tanto. Está bien, aprendí la lección. Pero más adelante me esperaban otras.

A la mañana siguiente me desperté sintiéndome algo extraña. Cuando comencé a vestirme para el día, perdí literalmente el equilibrio y no pude dejar de inclinarme hacia la derecha. Cerré los ojos y empecé a buscar el origen de mi pérdida de equilibrio. Verifiqué mis campos de energía y lo que encontré al instante me causó una gran sorpresa: ¡tenía en mi campo un brillante orbe, de color aguamarina! El orbe estaba dentro de mi campo de energía a la derecha de mi cuerpo físico y exactamente debajo del nivel de mis hombros. Portaba tanta intensidad energética que se percibía su peso en el conjunto de mi campo de energía personal. No tenía idea de qué se trataba, pero estaba a punto de averiguarlo.

Al final del día, había *cuatro* orbes en mi campo, todos a la derecha y cada uno con un color diferente. Uno era de color aguamarina, otro era casi salmón, el tercero era dorado y el último verde pálido. En el sentido literal, no podía mantenerme erguida a causa del peso energético de los orbes. No hay que decir que esto era algo desconcertante, pero como estaba familiarizada con fenómenos desconocidos, simplemente seguí con ellos.

Aquel día en la exposición me vi rodeada de muchísimas personas, pero en cada momento busqué mi oportunidad de «revisarme». Los orbes se mantuvieron durante todo el día, y comencé a ajustarme a la intensidad de la energía adicional dentro de mi campo. Poco a poco pero con seguridad, empecé a enderezarme. Cuando tuve un breve encuentro con Julie aquel día, le dije lo que estaba sucediendo; se echó a reír y dijo que me había «iniciado». Evidentemente, después de ver las fotos de los niños, muchas personas se vuelven más conscientemente perceptivas hacia los orbes. Más allá de esto, no me dio ninguna otra explicación. Aunque tenía esperanzas de tener más conversaciones con Julie, nunca la he vuelto a ver. Yo sabía que había mucho más que simple percepción consciente. Me sentía fascinada e intrigada, así que me puse a observar y esperar.

Desde Spokane volé a Sedona, Arizona, para presentarme en una conferencia que duraría todo un fin de semana. Tuve un par de días para recuperarme antes de que comenzara la conferencia, y como llegué antes que otros conferenciantes tuve algún tiempo para estar sola, cosa que necesitaba. Durante estos dos días, más y más orbes entraron en mi percepción consciente y quedaron agregados a mi campo de energía. Me di cuenta de que parecía estar recolectando un muestrario de todos los colores y tamaños. Como era una experiencia nueva, pasó algún breve tiempo antes de que lograra serenarme y abrirme hacia el fenómeno. En cuanto lo hice, comprendí que había estado recogiendo autoestopistas.

Cada orbe era portador de consciencia de un niño diferente. Y estaban hablándome. ¡Oh, Dios mío!

Este fue otro de esos momentos de mi vida en que yo sabía a ciencia cierta que todo cuando había pensado que conocía estaba cambiando. Como cuando habían aparecido los Maestros, hice un control de mi realidad. ¿La estaba perdiendo? ¡En modo alguno! Esto era real. Tengo que admitir que las implicaciones de esta experiencia me estremecieron. Por acostumbrada que estuviera a fenómenos extraños, lo que me sucedía era totalmente nuevo. Así que pensé: ¡qué diablos! Y empecé, de modo tentativo, a comunicarme por telepatía con los niños. Me sentí un poco tonta, sola en Arizona, hablando con la energía de mi campo, hasta que... me respondieron. ¡Fantástico!

Cosas asombrosas empezaron a ocurrir. No sólo conciencias de diferentes niños fueron acumulándose dentro del campo de energía, sino que también niños de carne y hueso empezaron a acudir a mí. Durante el resto de mi gira de verano, en todos los vuelos (y fueron numerosos) me vi sentada junto a niños de todas las edades, de hecho, rodeada por ellos. Me asediaban clases enteras, grupos escolares, equipos deportivos y muchos otros grupos, todos estaban viajando por diferentes razones. Lo mismo sucedía en aeropuertos y restaurantes, y de hecho en todos los lugares públicos donde acudía. No era una coincidencia. Durante ese tiempo sostuve también profundas conversaciones con niños sobre diversos temas. Para mí, estas experiencias cada vez mayores eran pura magia, ¡y sabía que habría más!

En los comienzos de 2006 concebí una película documental sobre los Niños de Ahora, que se basaría en este libro. Deseaba compartir algunos de los maravillosos mensajes que nuestros niños tan especiales traen a este mundo. Justo antes de salir de casa para mi gira de verano, me encontré con Michael Shea, que está produciendo una película sobre lo que sucede entre nuestras vidas. Debido a que yo poseía una plena perceptibilidad consciente multidimensional, Michael me contrató como consultante personal para los efectos especiales en la película. Cuando estuve en Sedona, Michael y yo tuvimos una larga conversación telefónica. Estábamos planificando algunos encuentros previos a la producción que suelen llevarse a cabo en el transcurso de la filmación de una película. Durante nuestra conversación conté a Michael sobre los niños orbes, que entonces me estaban hablando, y sobre mi plan de hacer una película sobre los niños. Michael se emocionó mucho cuando le conté mis experiencias. Me preguntó: «¿Por qué no inscribir tu película dentro de la mía?» ¡Qué emoción! Yo deseaba de veras ayudar a las personas a ver lo que hay más allá de la ilusión de la vida cotidiana, y también deseaba que las personas vieran cómo estos niños, tan frágiles y extraordinarios, no tienen todo cuanto necesitan. ¡Y ahora, he aquí que tenía la oportunidad de hacerlo! «¡Sí!», respondí, de manera inequívoca. Para abreviar: me convertí en coautora del guión con Michael. Existe incluso una continuación ya planeada.

Los niños no sólo están influyendo en mi vida, sino que también ayudan con el guión. Después de la conversación telefónica con Michael, empecé a hablar telepáticamente con los orbes, los niños que se mantenían unidos a mí. Por supuesto, habían oído lo que Michael y yo acabábamos de hablar por teléfono. Les pregunté si me ayudarían con el guión. (¡Aún no se me había ocurrido que esta era precisamente una de las razones por las que se habían mostrado!) Más tarde, me senté ante mi ordenador y dije a los niños orbes que era un momento maravilloso para conversar porque ahora podía dedicarles mi plena atención y escribir sus mensajes para así poder recordarlos. Deseaba ser capaz de tomar notas y dejar constancia de sus mensajes. Pregunté a los orbes, los niños, qué deseaban que dijera en mi libro y qué deseaban que se mostrara en la película. Empezaron a hablarme, compartiendo su filosofía y observaciones de nuestro mundo y del de más allá. Los niños me mostraron también mundos de escenas mágicas que más tarde formaron parte del guión. Al mismo tiempo, les hice preguntas sobre la humanidad y sobre el más allá. He aquí algunos ejemplos de lo que me dijeron:

SOBRE LA VIDA EN LA TIERRA

* *Recuerdo cómo era antes de venir aquí. Todos decían la verdad y nadie nunca se sentía herido.*
* *Nada en la Tierra es tan importante como todos piensan. Son cosas pequeñas. Lo que importa de veras es la eternidad.*
* *¿Cómo es que la gente no recuerda cuando las cosas eran perfectas? Sabes, todavía lo son.*

SOBRE LAS RELACIONES

* *Quisiera que las personas pudieran ver lo que se hacen unas a otras. Tal vez entonces aprenderían a tratarse mejor.*
* *Ser amor es muy diferente de pensar en él.*
* *Tantas personas parecen infelices. Es porque no recuerdan lo que realmente son…*

SOBRE EL TIEMPO

* Piensa sobre esto: ¿qué si el ayer fuera ahora, y el mañana lo fuera también? ¿No significaría esto que el ahora es siempre? ¿Sabes?, lo es.

SOBRE LA LIBERTAD DEL YO

* Anoche soñé que podía volar y entonces me di cuenta de que no estaba soñando y que en realidad podía volar.

Cuando la realidad de alguien cambia de modo tan dramático, es una buena idea usar la razón y hacer lo que denomino «control de realidad». Lo hago con frecuencia porque, para mí, la realidad tiende a cambiar frecuentemente. Así que dije a mis amiguitos orbes que sus formas eran fantásticas y que me encantaría también encontrarme con ellos en sus cuerpos terrenales si de hecho estaban aquí. ¡Poco sabía de lo que sucedería a continuación!

William

Poco tiempo después de manifestar mi deseo de encontrarme con los niños vinculados con los orbes, tuve una cita para compartir una lectura con un cliente a quien no conocía. Las personas muchas veces se citan conmigo por vía de e-mail debido a mi boletín mensual *On-line Messages*. Por lo general, no nos encontramos personalmente ni hablamos por teléfono antes de la sesión. El teléfono sonó en el momento previsto, y en otro extremo de la línea se escuchó una deliciosa voz femenina. Comenzó por pedir disculpas. Dijo que la sesión no era en realidad para ella, sino para su hijo de 11 años que no hablaba y tenía también otros problemas físicos. La cita había sido concertada a su solicitud.

En cuanto empezó a hablarme de William, hubo un parloteo en mi campo. Los orbes se pusieron muy nerviosos y, sin poder remediarlo, me reí en voz alta. «Me pregunto —le dije a la mamá, sin más explicaciones— si William es uno de estos niños que me están hablando ahora.» Y entonces ella se echó a reír también. Dijo que se estaba preguntando si yo le diría algo, porque su hijo le había dicho que él y yo habíamos estado conversando desde tiempo atrás. Fantástico. ¡FANTÁSTICO! Bueno, ¿acaso no lo había pedido? Esta cita fue en realidad el comienzo de una fascinante y cariñosa relación entre William, su mamá y yo, que continúa hasta el día de hoy.

Después de nuestra sesión tuve la presencia de ánimo para dirigirme a los orbes que seguían manteniéndose en mi campo y preguntar: «¿Cuál de vosotros es William?» Se identificó como el orbe color salmón que estaba justamente encima de mi cabeza. La vida se había vuelto aún más extraña, pero al mismo tiempo empezó a tener sentido. Desde nuestro primer encuentro, William y yo compartimos algunos momentos muy especiales, sobre los cuales leeréis en el capítulo nueve. Al principio, opté por compartir el fenómeno de los orbes con un grupo muy selecto y reducido de personas, para abrir su conciencia hacia este fenómeno, ¡pero cuando lo hice, ellos también empezaron a experimentarlo!

Dillon

A mi amiga Pam, dotada intuitiva médica, sanadora y chamán, la llamaron después del trabajo a atender a un niño que se había puesto muy enfermo después de que el huracán Katrina devastara la Costa del Golfo. Lo llamaré Dillon. Este niño enfermó muy seriamente después de regresar al barrio devastado por el huracán. Dillon y varios miembros de su familia regresaron al área para ayudar a otros y revisar las condiciones de su hogar, que quedó totalmente destruido. Durante el trayecto a pie en medio de aguas contaminadas, la familia pasó de un horror a otro viendo grupos de cadáveres flotando. Alrededor de una semana después del viaje de la familia a su antiguo barrio, Dillon enfermó de gravedad. La fiebre le subió a más de 41°C, y pronto hubo que hospitalizarlo. Cuando su salud siguió empeorando, sin que las pruebas médicas revelaran la causa de su enfermedad, uno de sus maestros contactó a Pam. Antes de la tormenta, Dillon había sido un niño muy sano, y su enfermedad fue un misterio para quienes lo cuidaban. Pronto entró en coma y fue incapaz de comunicarse por medios corrientes.

Pam comenzó a hablar a Dillon por telepatía, y el niño empezó a responderle. (Hasta aquel momento yo sólo había dicho a Pam que tenía orbes en mi campo, pero no le había revelado quiénes o qué eran.) Pam se volvió conscientemente perceptiva de orbes en su propio campo de energía, ubicado justo delante de su frente. Cuando Dillon empezó a hablar a Pam, ella le preguntó de modo intuitivo si él era uno de los cuatro orbes que ella percibía. ¡Sí, desde luego que era! Al preguntarle a Dillon de qué manera se comunicaban, le dijo que cuando uno se comunica desde dentro del corazón, a la vez da permiso para recibir comunicación. En lo fundamental, al comunicarnos por medio del amor, abrimos todas las puertas que, cuando están cerradas, crean resistencia a nuestro yo intuitivo. Dillon explicó que la única razón por la que los niños son capaces de viajar y comunicarse de esta manera es porque dentro de ellos existe un nivel de pureza. Son aún inocentes y no han establecido defensas como la mayoría de los adultos. Dillon explicó que el movimiento en forma esférica permite a su consciencia viajar incluso por los senderos más diminutos en toda la creación con seguridad y sin extraviarse.

Dillon dijo que se sentía incómodo dentro de su cuerpo porque éste no se expandía ni se contraía tal y como estaba acostumbrado a hacerlo en su estado natural, como cuerpo de energía, antes de su llegada a la Tierra. Dijo a Pam que estar aquí en la Tierra es siempre una opción y que podemos elegir entre experimentarla o no. Dillon dijo que había decidido no continuar su experiencia terrenal porque no se enriquecía como alma con tanta rapidez como le hubiera gustado y porque aprendería y enseñaría mejor «desde fuera».

Como sanadora, llegar a involucrarse demasiado emocionalmente con un cliente puede conducir a un resultado indeseado. Una cosa es sentir compasión de todo corazón, y otra es cruzar esa línea emocional que crea una gran vulnerabilidad en el sanador y puede incluso interferir en la pureza de la sanación. Cuando se trabaja con niños es muy difícil mantener esta neutralidad. Muy pronto, Pam se sintió efectivamente apegada a Dillon, incluso a pesar de que como profesional sabía que esto no era bueno. Preocupada por ello, Pam preguntó a Dillon por qué se sentía incapaz de evitar el vínculo emocional con él. Su respuesta fue una enseñanza magnífica para

Pam. Dillon dijo: «Hasta ahora no comprendías el alcance del trabajo que haces. Tienes un vínculo intelectual que no es el verdadero. Debes olvidarte de la necesidad de obtener resultados. La verdadera vibración es la del corazón y es algo muy sutil. Ahora estás aprendiendo la diferencia.»

Dillon nunca recuperó la consciencia y, poco tiempo después, falleció. Durante su tránsito, conversó con Pam. Cuando Pam le preguntó sobre su partida, Dillon dijo: «El nivel del efecto de la consciencia colectiva presente de las personas en la Tierra va en contra de las leyes del universo, de toda la creación. La consciencia colectiva se está basando en emociones. Las emociones nada tienen que ver con la creación o la destrucción, excepto cuando se usa la pasión para alimentar la intención de manifestar realidad. Un buen ejemplo es cuando se reza. Uno reza de todo corazón, con toda el alma, y sus plegarias se ven respondidas. Esto, en realidad, no es emoción. Es la creación por puro amor. Con emociones, no se puede mantener la energía de una vibración superior, porque no se está dentro de la verdad. Todo lo que es mundano debe ir a un lugar feliz. Exactamente igual que uno ejercita su cuerpo, debe ejercitar su carácter divino.»

Pam se sintió anonadada. Le dijo a Dillon: «¡Eres tan grande!»

El niño respondió: «Dentro de tí hay un nivel de consciencia que está más allá de las emociones y se basa en frecuencias lumínicas, pero tú lo circunvalas por lo que *aprendes*. Necesitas empezar a equilibrar. Esto te ayudará a cambiar la resonancia hacia fuera desde el interior de tu glándula pineal, que es el comienzo del río de la vida.»

Pam preguntó: «¿Por qué yo, si hay muchos otros a quienes hubieras podido hablar?»

Dillon respondió: «Pam, cuando quisiste entender las cosas que le estaban sucediendo, gritaste tu nombre al universo. Creías que estabas llamando a Dios, pero es que *todos* somos Dios. Ahora, muchos de vosotros podéis escucharnos. Necesitáis escuchar porque podemos ayudaros. Aquellas personas en vuestro mundo que están despertando comienzan a recordar quienes son, lo que necesitan es precisamente recordar. Abandona tu auto-indulgencia y no me llores; en vez de esto, ¡alégrate por mí! Trabaja con mis padres. Ahora, ellos son quienes te necesitan. Mira directamente a los orbes que te visitan. Tu comunicación con ellos comienza en tu lóbulo frontal. Te has abierto hacia ellos. Esto no es un cambio del ADN. Tu rúbrica armónica en este momento es un toque de clarín que atraviesa todos los universos. Al irme de esta manera, he hecho la elección de que mi enfermedad y muerte produzcan efecto en toda la comunidad. Las vidas cambian siempre, y todos quienes han estado involucrados tienen la opción de obrar sobre esta experiencia. Esto no afecta sólo a mi familia; afecta a amigos, vecinos y a toda la comunidad. Por ejemplo, mira cómo a ti te ha afectado el encuentro conmigo.»

Lentamente, la comunicación con Dillon fue volviéndose cada vez más borrosa, a medida que se alejaba hacia allá donde deseaba estar, y entonces se marchó.

A medida que me contactan más y más niños, como también personas que pueden escucharlos, todos nos damos cuenta de que entrar en contacto con ellos es muy fácil. El proceso es similar a enviar un pensamiento al espacio y esperar respuesta, que casi siempre es inmediata. La percepción consciente de estos niños es asombrosa; es como si estuvieran sintonizados con todo, en todas partes y todo el tiempo.

Nuevos orbes van y vienen, y algunos de ellos se quedan con cada uno de nosotros. Son insistentes en dar una voz a lo que desean decir. Muchos de estos niños han manifestado que el único propósito de su vida es ayudarnos a pensar sobre el amor, sobre quiénes somos y sobre el hecho de que ser humano implica mucho más que ser parte de nuestra humanidad.

Los niños cristal

Capítulo 4

Lo que aprendes fuera de ti no es lo importante. Lo que te dice
la verdad es lo que aprendes desde el interior.
KATIE, NIÑA CRISTALINA, 6 AÑOS.

¿Qué es un cristalino?

Por qué llamar a algunos niños «cristal»? Cada persona tiene un campo de energía, tanto en su interior como alrededor, y cuando experimentamos vida nuestros campos de energía se expanden y se contraen. Los colores de nuestros campos varían en dependencia de nuestra composición energética que, a su vez, se basa en relaciones armónicas. El color es frecuencia, y la frecuencia tiene sonido. A través de las relaciones gravitacionales y patrones de energía, todo cuanto suena se reúne y crea, para cada uno de nosotros, un conjunto único de relaciones armónicas. No hay dos exactamente iguales. Estas relaciones armónicas son lo que hace que cada uno sea distintivo en toda la creación. Sin embargo, en cualquier conjunto armónico dado, en cualquier persona, existen infinitas combinaciones de frecuencias.

Las relaciones armónicas dentro de los niños cristal son muy diferentes. Llevan todos los colores del espectro cromático. Si pudierais ver sus campos de energía (¡yo sí puedo hacerlo!) contemplaríais despliegues de energía, en tonos de piedras preciosas, como magníficos arco iris, resplandecientes con todos los colores de la luz. En lugar de expandirse y contraerse como los de sus predecesores, los campos de energía de los niños cristal se mueven de manera arrolladora, muy similar a los reflectores que vemos atravesar el cielo nocturno. ¡Imaginaos ser capaces de escudriñar el éter con todo un conjunto de frecuencias!

En mi libro *Pyramids of Light: Awakening to Multidimensional Realities* («Spirit Light Resours», 2004) hice hincapié en que energía es luz y que ésta posee memoria. Estamos hechos de energía y, por lo tanto, somos luz. La luz se esparce en forma de energía. Para la mayoría de nosotros, nuestra energía, nuestra luz, avanza en progresión ordenada: desde el nivel de frecuencia donde la energía se emite inicialmente, hacia el espectro lumínico en movimiento espiral, hasta que por último la energía se vuelve blanca. La luz blanca contiene un espectro pleno, y es la misma que la energía de la Fuente –la energía de Dios– lo que es lo mismo que perfección.

El espectro de colores es piramidal en su estructura y contiene energía que se mueve en forma de espiral. La frecuencia en la base de la pirámide –y de la parte más amplia de la espiral– es roja. Esto podría sonar como un tono muy bajo, debido a las largas y lentas revoluciones de la frecuencia. Si emitimos energía a partir de la frecuencia básica, esta energía se moverá hacia arriba, todo el tiempo en espiral, a través de todo el espectro cromáti-

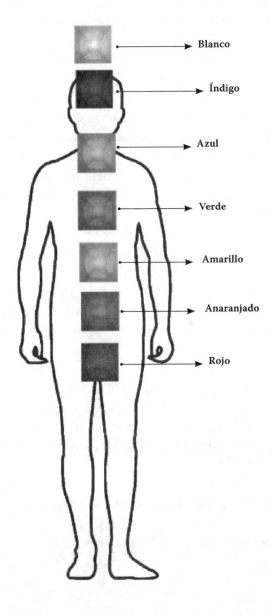

- Blanco
- Índigo
- Azul
- Verde
- Amarillo
- Anaranjado
- Rojo

Figura 4. Ubicación y frecuencia cromática del sistema normal de chacras son idénticas en organización al espectro cromático hallado dentro de un espiral.

co, y en última instancia, por el camino, se convertirá en cada una de las frecuencias.

La energía se mueve a través de los colores rojo, anaranjado, amarillo, verde, azul, púrpura, violeta, blanco y todo lo que existe entre ellos. ¡No es un error que los colores de nuestro sistema de chacras se correspondan exactamente con el sendero de las frecuencias de energía!

Los campos de energía de los niños cristal contienen todo el espectro cromático. Existe una permutación de este patrón, y los niños que dan muestra de ella reciben con frecuencia el nombre de niños del arco iris. Hay ciertas sutiles diferencias entre los campos de energía de los niños cristal y del de los de arco iris, pero en esencia son exactamente lo mismo. Las diferencias consisten en que las energías de los niños cristal son vívidas en color y movimiento, mientras que las energías de los arco iris son más livianas en intensidad, más pastel en color y más sutiles en sus movimientos. Los niños arco iris son más evolucionados, con patrones de frecuencias más elevados y más refinados. No obstante, se relacionan de modo tan íntimo que los considero parte de la misma tendencia evolutiva. Para facilitar la lectura, utilizaremos la designación de «cristalino» para todos los niños de esta categoría.

¿Qué hace que los niños cristal sean tan especiales?

Recuerdo cuando no había tiempo. ¡Me gustaba, porque nunca había que ir a la cama!
ALEC, 6 AÑOS

Los niños cristal son muy nuevos en la Tierra. Comenzaron a llegar en 1997 o 1998. Esto hace que ahora, cuando escribo esto, tengan alrededor de 8 años, o menos. Con frecuencia, los niños cristal visitan a sus padres en sueños, por telepatía, o como simple «conocimiento», antes de haber nacido. Esta percepción consciente la futura madre la suele recibir del hijo cuyo nacimiento es inminente. Los hijos que están a punto de llegar se anuncian muchas veces a ambos padres antes de haber sido concebidos. Suelen traer también a sus expectantes padres otros mensajes específicos.

Los niños cristal crean una corriente de energía desde que nacen. Conozco a una partera que veía realmente aparecer una luz en la habitación donde nacían estos niños. Algunas veces esta corriente es tan poderosa como para crear una temporal sensación de desequilibrio en las personas presentes en el momento del nacimiento del niño. Inmediatamente al nacer, los niños cristal son, por lo general, muy tranquilos y alertas, miran alrededor de la habitación de un modo lento y deliberado. Sus ojos parecen cargar la sabiduría de todos los tiempos. El observador percibe a estos niñitos como poderosos y a la vez apacibles. Son en extremo «presentes» y, muchas veces, dejan al observador con una clara impresión de que han traído a este mundo algo muy especial. ¡Y lo han hecho!

Por lo general (aunque no siempre), los niños cristal tienen los ojos azules, muy, muy azules. Son, en muchos casos, lo que llamo azul hielo. Estos son los niños que nos dirigen una mirada de puro reconocimiento cuando estamos en la cola de una tienda de comestibles o en los pasillos de unos grandes almacenes. Son los que se iluminan cuando nos divisan y nos abarcan con una mirada que percibimos con todo nuestro ser como un reconocimiento. Cautivados por la mirada de los niños cristal, sus ojos nos expresan un conocimiento esencial más allá de tiempo y espacio, y suele ser difícil mirar hacia otro lado. Algunos niños cristal nacen realizados casi a plenitud. En otras palabras, están completamente en contacto con los mundos etéreos más allá de esta dimensión y poseen un dominio asombroso de sus sentidos intuitivos: el sexto e incluso el séptimo. Se dan cuenta con prontitud de que pocas personas pueden comprenderlos.

Cuando son muy pequeños, los niños cristal, como la mayoría de los niños, se comunican mayormente con sus familiares y cuidadores en lenguaje infantil y con ayuda de los primeros juguetes. Estos frágiles seres se retraen pronto en su mundo interior, donde mantienen comunicación e interacción más allá de la tercera dimensión.

Dulces encuentros y comunicaciones silentes

Los bebés cristal vienen hacia nosotros como si nos conocieran. Una vez estuve en unos grandes almacenes de Sedona, Arizona, y allí había una niña pequeña sentada en un carrito de compras en el mismo pasillo donde yo me encontraba. Era una pequeñuela encantadora, con el pelo rubio muy claro, tenue, y los ojos más azules que cabe imaginar. Tendría unos 10 u 11 meses. Su mamá estaba mirando zapatos y se le veía preocupada.

Cuando la niñita me divisó, percibí un telepático «¡Hola!». Sonreí y le respondí. Iniciamos una conversación telepática y, al hacerlo, extendió su pequeña manita, atrapó la mía y no me dejó ir. Así que me quedé allí junto a ella. Le dije por telepatía que yo también la recordaba. Sonrió de oreja a oreja y entonces me dijo que en realidad estaba aburrida y que su cuerpo no le convencía mucho. Dijo que se sentía atrapada, porque allí de donde provenía estaba mucho más «a sus anchas». ¡Imaginaos: estaba describiéndome dónde había estado antes de venir a la Tierra! Proseguimos nuestra conversación sin palabras hasta que su mamá encontró por fin lo que deseaba. Cuando la mamá se disponía a trasladarse a otra parte del almacén, no dio muestras de dar importancia a la silente interacción entre su hijita y yo, porque nos limitábamos a mirarnos y sonreír. La criatura aún no quería soltar mi mano. Después de alguna persuasión, logré que sus diminutos deditos liberaran mi mano. Cuando nos separamos, me siguió mirando, mientras se alejaba en su carrito por el pasillo. Cuando mi pequeña amiguita y su mamá doblaban la esquina, la niñita se inclinó para mirar hacia atrás y me sonrió. Su mensaje fue: «¡Nos veremos!» Este tipo de interacción con los niños cristal es muy común. Poseen el don de la telepatía y se comunican muy bien si los escuchamos.

Hace poco tiempo estuve en una fiesta en casa de una amiga. Llegué tarde, y todos estaban ya sentados comiendo en varias habitaciones de la casa. Cuando miré alrededor en busca de un asiento, vi uno en la solana y hacia allá me dirigí, en zigzag. En cuanto me senté, me di cuenta de que había aterrizado junto a una niña sentada en el acogedor regazo de su abuela. Al principio, estaba de espaldas, jugando con su abuelo, quien ocupaba el asiento vecino. Era pequeña y muy bien formada, con lacios cabellos castaños. Poseía la burlona energía de un pequeño elfo. Sus facciones no tenían el usual aspecto de criatura gordita, más bien parecía una diminuta adulta. Mientras la observaba, pude sentir el campo de energía de esta adorable criatura. Su fuerza era grande y penetraba hacia lo más profundo de mi espacio personal. Me sintonicé en silencio hacia la niñita y, de pronto, como si le hubiera tocado un hombro, se volvió y me miró directamente con sus ojos azules, diciéndome por telepatía: «¡Hola!»

«¡Hola!», le respondí.

Nuestra interacción duró unos 10 minutos. Sostuvimos una conversación maravillosa recordándonos una a otra y de cómo ella disfrutaba, en realidad, toda la atención que recibía de cuantos la rodeaban. Pero le hubiera gustado que las personas le hablaran de cosas más importantes y dejaran de hablarle en el lenguaje que se usa con los bebés. Ambas nos echamos a reír, de modo que a muchos de los presentes en la habitación les pareció que estábamos jugando a mirarnos. De hecho, nuestra interacción hizo que la muy conservadora abuela de la criatura se sintiera bastante incómoda. Al instante dijo que su nieta sólo tenía seis meses y aún no sabía que mirar a las personas era descortés. Interrumpida de golpe mi ensoñación con mi nueva amiguita, me sentí bastante pasmada. ¿Un bebé grosero? ¿Se puede pensar eso? ¡Si esa mujer tan sólo hubiera sabido! Me reí por lo bajo al comprender que la abuela iba a aprender mucho de esta niña. ¡No es de asombrar que esta dotada criatura había elegido precisamente esa familia!

Cuando mi nieta tenía acreedor de un año y medio, pasó algún tiempo conmigo en mi hogar. Por supuesto, yo estaba en la gloria al disfrutar de este tiempo a solas con ella. Un día, estábamos sentadas en el piso jugando con unos bloques de ensamblar Lego bastante grandes. Estábamos sentadas en silencio y nos comunicábamos sólo por telepatía. Cuando mi nieta me miraba, yo podía percibir: «Quiero este azul que está allí», o cualquier otro color que ella quisiera, y yo le entregaba lo que me estaba pidiendo. Después me tocaba a mí, y le decía mentalmente que deseaba aquel color en particular que estaba allí. Ella me lo entregaba en silencio, sin equivocarse. Yo me sentía tan emocionada que a duras penas me podía dominar. Esto duró más o menos media hora. A medida que el tiempo transcurría y manteníamos nuestra comunicación silente pero perfecta, me iba emocionando cada vez más, y comencé a pensar en todas las posibilidades que mi nieta llevaba dentro. Así fue como perdí la concentración. Tomé al azar un bloque y se lo extendí. Por primera vez desde que nos sentamos, mi nieta dijo: «Memaw, *¡este no es el que te dije que quería!*» El sonido de su voz me sacudió después del largo silencio: ¡realmente, me devolvió a mi lugar! Tuve que reírme y le di el bloque que ella deseaba.

Dones y penas

Los niños cristal son intuitivos en extremo conscientes de sus sentimientos. Son sensitivos energéticos de modo excepcional. Sienten todo lo que experimentan cuantos los rodean: la energía de emociones, intenciones, motivaciones, todo de todas las personas. ¡La mayoría de las veces saben cómo nos sentimos antes que nosotros mismos! Tienden asimismo a ser empáticos, lo que significa que, en el sentido literal, sienten el dolor de otros, tanto emocional como físico. A causa de esto, son buenos conciliadores. Cuando otros sienten dolor, ellos lo sienten también, así que hacen todo cuanto pueden para mantener equilibrio en sus relaciones y cuanto los rodea. Un conflicto puede ser extremadamente destructivo para estos niños, y ponen todo de su parte para evitar circunstancias conflictivas.

Debido a su sensibilidad, los niños cristal tienden a enfermarse de pronto, muchas veces con fiebre alta o enfermedades extrañas que, desde el punto de vista médico, no parecen tener sentido. Esto no es sólo porque no son conscientemente perceptivos; de hecho, lo experimentan todo hasta la médula. Casi todos sus sentimientos son profundos. Debido que a muchos niños no se les reconoce en lo que son o se les trata condescendientemente, ellos acaban por esconder sus sentimientos en lo más hondo de su ser. Esta pena se manifiesta de modo físico, como por enfermedades inexplicables, porque han tenido que soportar más de lo que podían.

En una observación más positiva, he visto a muchos de estos niños con una disposición para sanación que es instantánea y sutil, e incluso con un innato poder que es impresionante. Y lo hacen de manera natural, sin una palabra, con un toque tierno o, a veces, con una mirada. Algunos de ellos pueden inducir una sanación inmediata y espontánea con una sola mirada. Un magnífico ejemplo de esto es un extracto de un e-mail que recibí de la abuela de un niño cristalino:

> Volví a observar cómo Michael, en la edad de 18 meses, llevaba a cabo una sanación. Mi nuera tiene una familia muy numerosa... La tía-abuela vino de visita desde California. Había sufrido un accidente debido al cual tenía una lesión en un hombro que había exigido intervención quirúrgica. Su hermana (la otra cuidadora de Michael) estaba masajeando el hombro de la tía mientras Michael y yo nos pusimos a jugar en el otro extremo de la sala de estar. No había nada que indicara que el pequeño estuviera prestando atención alguna a lo

que estaba sucediendo en el otro extremo de la habitación. Cuando el masaje terminó, Michael, muy deliberadamente, llegó caminando hacia su tía y, con toda intención, acarició con delicadeza la cicatriz con su manita. Lo hizo dos veces más, con ternura, para completar así la sanación. La otra cuidadora y la tía estaban sentadas, llenas de asombro. Sonreí, ya que sabía que acababa de observar al pequeño *Dorado* (tiene el cabello rubio dorado, en rizos) hacer precisamente aquello que viene de modo natural.

Recuerdos de dones y otras vidas

Otros niños han dado muestras de asombrosa comprensión de la manipulación de la energía. Mi nieta lo demostró de una manera notable. En una ocasión, cuando una música empezó a sonar, fue como si alguien hubiera accionado un interruptor. De modo automático, cerró los ojos y sus manos empezaron a moverse juntas con lentitud, de manera fluida e intencional, como si estuviera a punto de empezar a rezar. Cuando sus manos se unieron, el cuerpo empezó a moverse al son de la música. Danzó tan intencionadamente, con tanta gracia, que aquello pareció una cosa del otro mundo. Su coordinación iba mucho más allá de lo que se pudiera considerar «desarrollo normal» en una niña tan pequeña. Era algo mágico. Mientras lo hacía, empezó a emitir corriente de energía entre su cuerpo y lo que le rodeaba, su pequeño cuerpo se movía con soltura, cual si fuera parte del viento y de las corrientes de la creación. ¡Fue lo más bello que jamás había visto! Parecía poseer una maestría innata de algo que era muy similar al tai-chi. Mirarla mientras se movía era como contemplar la gracia viviente. Todos nos quedamos como hipnotizados. Amigos y extraños por igual dejaron lo que estaban haciendo para observarla. Las conversaciones cesaron. La pequeña Maestra parecía convertirse en energía, mientras sus manos y cuerpo se movían de manera elegante y deliberada, con exhibición de unicidad pocas veces vista en la Tierra. Era la verdad, natural y descubierta, en movimiento. Al reunir energía en sus manos juntas y en todo su cuerpo, la enviaba con gentileza para producir cambio y movimiento, y todos alrededor de ella podíamos sentir los cambios.

En otra ocasión, hubo una reunión festiva al aire libre. Había una banda de música que tocaba, y centenares de personas se paseaban por en el parque. De pronto, cayó una lluvia muy fuerte, y todos se lanzaron a buscar refugio. Con excepción de la pequeña Maestra, quien una vez más juntó las manos, cerró los ojos y, desde mi ventajosa posición, pude ver cómo se convertía en parte intencional de la música, la lluvia, la Tierra y el cielo. ¡Danzaba sobre la colina, empapada, totalmente ajena a todo y a todos! Observarla, fue como si se hubiera transportado a otro tiempo y espacio. Fue un momento tan bello que me quedé allí de pie, llorando. ¿Dónde estaba mi cámara cuando tanto la necesitaba?

Los niños cristal son del corazón. Son en sumo grado compasivos y poseen un sentido arraigado de honradez. Parecen siempre estar motivados por el bien común de todos. Por otra parte, cuando se les defrauda, su sentimiento de haber sido traicionados es enorme. No pueden comprender que alguien pueda tratarlos de otro modo que con profundo respeto y comprensión, y toman cualquier ofensa percibida de un modo muy personal. Los niños cristal parecen sentirse personalmente responsables por los sentimientos de los demás, y perciben estos sentimientos de una manera muy profunda. Son también muy conscientes desde el punto de vista social y son compasivos más allá de su edad.

Recientemente conversé con una mamá que deseaba compartir conmigo experiencias sobre sus maravillosos hijos. Margi reconoció muy temprano las dotes de sus hijos y lleva un diario de modo permanente. Me preguntó qué deseaba para mi investigación, y le respondí que lo que más deseaba eran descripciones de las extraordinarias dotes de los niños, relatos sobre cómo ven el mundo y descripciones de las profundas cosas que hayan dicho o hecho que fuesen más allá de las experiencias usuales con los niños. Margi empezó a relatarme una historia asombrosa sobre su hijo Peter. Un día, desde su escuela llamaron a la casa para decir que iban a organizar una excursión con merienda. Ella respondió algo así como «Es una buena idea. Os echaré una mano.» Pero el director dijo: «Espere un momento, no ha entendido lo que estoy diciendo. ¡Fue Peter a quien se le ha ocurrido este plan!» Margi se quedó pasmada: Peter tenía entonces sólo 11 años. Cuando Margi elogió a Peter por lo que había hecho, el niño explicó su filosofía: mientras su familia y la mayoría de sus compañeros de escuela tenían todo cuanto necesitaban, otros no lo tenían, y si cada cual compartiera lo que tenía todos podrían beneficiarse.

Mi nieta de 6 años me telefoneó una vez a casa para decirme que había escrito una nota a su maestra. Le dije que era muy bonito, creyendo que estaba en su corriente estado de ánimo amable. Pero ella me explicó en seguida que la razón por la que había escrito la nota era que se había percatado de que la maestra estaba estresada, y el día en el aula había sido difícil. Al parecer, un grupo de niños en la clase se portaban mal, no prestaban atención a la maestra, y esto era muy molesto. La irritación de la maestra se hizo evidente. Mi nieta dijo que se había reído al entregarle la nota a la maestra, y luego ésta se rió también y ya dejó de estar estresada. La nota sirvió para un propósito muy importante: aportó a la situación ligereza y humor y desvió la energía de la tensión a la luminosidad. Esta clase de conducta es típica de los niños cristal.

Los niños cristal son socialmente perceptivos y conscientes. Son apaciguadores inequívocos. Poseen un gran sentido de justicia que, por lo general, viene acompañado de la sabiduría de experiencia y madurez, y suelen ponerlo en acción sin necesidad de que otros les aconsejen y para asombro de muchos.

Aunque no tan comunes, la psicoquinesia (mover objetos con la mente) y la teletransportación (desaparecer de un lugar para aparecer en otro) son otros dones que los niños cristal ponen de manifiesto en ocasiones. Recibí un e-mail de una abuela cuya hija, joven mamá, tenía en casa a una recién nacida. Lo que me contó era más que asombroso. Por la noche, los nuevos mamá y papá pusieron al bebé en su cuna y fueron a dormir. De madrugada se despertaron y descubrieron que la pequeña ¡estaba acurrucada entre ellos dos! ¡Ninguno de los padres había abandonado la cama en toda la noche! ¡El bebé se había teletransportado de la cuna a la cama de los padres!

¿Cuántos de nosotros, cuando éramos pequeños, tuvimos amigos invisibles? ¿O vimos a nuestros hijos interactuar con los suyos? ¿Son en realidad tan sólo imaginación o hay en esto algo más? La mayoría de los niños que vamos a analizar en este libro son capaces de ver «a través de los velos». Esto significa que su percepción consciente no se limita a esta dimensión o realidad local (por local entiendo aquí y ahora en la tercera dimensión). Una y otra vez encuentro niños y escucho historias que me cuentan sus cuidadores, padres, maestros y otros sobre las maravillosas interacciones que los niños cristal tienen con sus «amigos invisibles». La verdad es que estos amigos sólo son invisibles debido a que la mente corriente no se ha abierto lo suficientemente como para ver lo que pueden ver los niños cristal.

Una niñita a quien conozco empezó a hablar de ángeles cundo tenía apenas algo más de un año. En muchas ocasiones señalaba hacia algún punto (por lo general, en el techo) y decía: «Allí ahora mismo hay un ángel, y es una niña. Y allá hay otro, y es un niño. Están allí mirándonos.» Solía haber varios ángeles presentes en cualquier momento. Esto duró algún tiempo, hasta que su madre, asustada por las capacidades de la hija, trató de desanimarla diciéndole que los ángeles no eran reales. La respuesta de la pequeña fue: «¡Oh, sí, están allí! He visto de verdad a estos ángeles. ¡Y ellos también me han visto!»

A otros niños se les ha visto u oído conversar con diversos seres de otros mundos. Algunos niños hablan lenguas que no son de esta Tierra. De hecho, ¡en varias ocasiones pude presenciar cómo dos o más de estos pequeños seres superdotados conversaban entre ellos en lenguas de otros mundos! Era como si se conocieran desde otro tiempo y lugar y ahora volvieran a su idioma de antes. Una abuela me envió por e-mail su maravillosa historia:

Le envío esta información sobre mi pequeña nieta, Malia, que cumplirá 4 años el 25 de septiembre. Trato de hablarle sobre sus amigos imaginarios (y estoy segura que los tiene de veras). Pregunto de dónde vienen y ella me dice que han muerto y vienen del cielo. Tiene dos amigas con las que más habla: Donna y Hebee. Tiene historias sobre todos ellos: padres y familiares… Con frecuencia, están con nosotros en su casa o en la mía, cuando está conmigo. Hago como que sé que están aquí y las veo, y les hablo también.

Los niños cristal suelen oír y ver a sus etéreos guías como si estuvieran presentes en la tercera dimensión. La interacción de los niños con otros mundos va acompañada de un enorme y profundo conocimiento de la vida y la existencia. Son sabios más allá de lo imaginable. Estos niños no se consideran diferentes de los Maestros y guías que los visitan. Y esto no es nada extraño, porque es normal para ellos. Uno de mis relatos favoritos sobre este tema es sobre un niño pequeño que una noche, ya tarde, corrió al dormitorio de sus padres y les dijo que Jesús se le había aparecido y le había explicado con lujo de detalles el funcionamiento del universo. La mamá, muy emocionada, le preguntó qué había dicho Jesús, y al no recibir respuesta miró al niño y se de dio cuenta de que ¡se había vuelto a dormir al instante! No, no había sido un sueño, porque toda esta historia no era nada especial para el niño, ya que experimentaba este tipo de sucesos todo el tiempo. ¡La mamá estaba fuera de sí!

He aquí otro magnífico relato aportado por una mamá de Nueva Zelanda. (Tuve el placer de alojarme en su casa durante mi gira por Nueva Zelanda, y me encantó conocer a su hijita.)

Un día estaba paseando con ella y vimos un bellísimo arco iris. Saltó de su cochecito y dijo con alegría: «¡Mira, mamá! ¡Es una promesa de Dios!» Otro día estábamos jugando en casa con plastilina cuando me miró y dijo: «Sabes, mamá, Dios no es hombre ni mujer. Dios es una gran esfera de luz, y cuando uno nace, Dios toma una pequeña porción de esta luz y nos la da.» Esta es mi historia favorita. Yo estaba aprendiendo una nueva forma de masaje de energía a lo largo de una serie de talleres de fines de semana. Una de nuestras actividades consistía en conectarnos con nuestros animales tótem y movernos con esta energía. Me vi transformada en un águila. Pero algo andaba mal. No podía levantar mis alas. No podía volar. Esto me molestaba y comencé a preguntarme qué era lo que me retenía abajo. Era como si algo me tuviera atados los brazos. Consulté con mi maestra y decidimos hacer una sesión de sanación personal para ver qué podíamos hacer con esto. Durante la sesión, tuve de veras energía negativa manteniéndome abajo. Esto exigió que emprendiéramos algún trabajo poderoso, y tuve que comer Udi (cenizas sagradas) para eliminar esta fuerza. Tanto yo como mi maestra sentimos que se había ido. Ambas nos sentíamos satisfechas de la sesión y acordamos que yo debía hacer una grabación musical con un canto antiguo para que éste ayudara a limpiar también mi casa. Creo que el canto era en sánscrito. Yo no conocía la letra. Aquella noche, cuando estaba acostando a mi pequeña niña cristalina, puse la grabación para ella. Por lo general, cuando la acostaba por la noche, se mantenía alerta durante mucho tiempo y no se dormía con facilidad. Me asombré cuando en medio de su juego con el osito de peluche de pronto se detuvo y empezó a cantar. ¡Conocía la letra a la perfección! Cantaba con una mirada vidriosa pero muy apacible. Yo estaba allí sentada boquiabierta de asombro, cuando ella se detuvo de repente, me miró directamente a los ojos y dijo: «Mamita, ahora ya tienes tus alas. Puedes volar.» Sus ojos se entornaron, se inclinó al frente con una sonrisa y susurró: «Y yo también.» Entonces se sumió en un profundo y apacible sueño, mientras yo trataba de recuperarme de mi asombro.

La visión no velada no se limita a ángeles y guías etéreos. Debido a que estos niños poseen la percepción consciente multidimensional, son capaces de alcanzar de modo consciente casi cualquier plano de existencia. ¿Os acordáis cuando éramos niños y creíamos que había monstruos en nuestra habitación? ¿Cuándo mamá y papá tenían que venir y cerrar el armario, correr bien las cortinas de las ventanas o mirar bajo la cama y asegurarnos que en la habitación, aparte de nosotros, no había nada más? Recientemente he oído de muchos niños que tenían miedos nocturnos al parecer irracionales en sus dormitorios u otras habitaciones de sus hogares. La cantidad de pequeños que experimentan esto va en aumento, porque cada vez más niños nacen con esta conciencia superior.

Se dan cuenta no sólo de esta realidad, sino también de otras; pueden ver y sentir otros mundos, seres extraterrestres y realidades alteradas, y conocen cosas que no pueden haber escuchado ni habérseles enseñado. ¡Debemos prestarles más atención! Conocen en realidad aquello de que están hablando. El mero hecho de que la mayoría de !os adultos no experimentan estas cosas, no las hace menos reales.

Debido a sus dones, los niños cristal no piensan tampoco de la misma manera que los demás humanos. En vez de esto, piensan del mismo modo que se mueve su energía: de manera holográfica o compartimentada, interactuando con otros y con sus entornos como esponjas vivientes. La información entra y penetra en el compartimiento de la mente que es el más pertinente para ella. Cuando fragmentos de información que no parecen tener sentido entran en su percepción consciente, estos niños, de modo automático, almacenan estos fragmentos para futuras referencias. Cuando encuentran otra parte del rompecabezas, la almacenan también, hasta que surje el cuadro completo.

A causa de su modo diferente del procesamiento de datos, a un gran número de niños no se les comprende en absoluto. A muchos de ellos se les prescriben fármacos, como Ritalin, para calmarlos y concentrar su atención. Los medicamentos no son la respuesta. El hecho es que no criamos a estos niños de una manera que tenga en cuenta los niveles de su percepción consciente. En vez de esto, tratamos de encerrarlos en pequeñas cajitas de expectativas sociales que se basan en normas que no pueden ni deben aplicárseles. Este es el momento de un cambio. Debemos aplicar paradigmas nuevos y diferentes a fin de fomentar los dones de estos niños.

Con frecuencia, cuidadores y padres me han pedido que ayudara a sanar a niños que no encajan con facilidad en su entorno. Por lo general, hallo que los niños tienen campos de energía dañados o completamente únicos debido a su elevada sensibilidad, y suelen ser las personas que los rodean quienes causan los problemas, no por otra cosa que su mera falta de percepción consciente. Después de mi trabajo con las familias, creando percepción consciente y enseñándoles cómo apoyar a sus niños dotados, la mayoría de los padres dejan de apremiar a los hijos para que quepan en esas pequeñas y ordenadas cajitas, y todos empiezan a sentirse mucho más cómodos. En la mayoría de los casos, esto sucede porque al final los padres comprenden que no hay nada malo en su hijo, sino que es, por el contrario, un ser dotado que tiene mucho que ofrecer al mundo. Al desaparecer la presión, los niños se liberan para ser lo que son realmente, y comienzan a mostrar unas dotes aun mayores.

Los niños a quienes describo en este libro no están preparados para que se les introduzca en cajas socialmente predeterminadas; de hecho, esto les es imposible. Las drogas no hacen que los niños dejen de ser lo que son; simplemente, los vuelven insensibles a sus diferencias. Con tiempo, cuando los niños se desaniman y dejan de usar sus dotes, muchos comienzan a olvidarlos, porque se les fuerza a ser «normales». Pronto, cierran las puertas a otras realidades y se vuelven casi iguales a otros niños. En los peores casos, este tipo de opresión puede causar problemas más tarde, cuando los niños sean mayores. Pueden desarrollar problemas de auto-valoración, depresión, sentimientos de insignificancia o una convicción interna de que no todo anda bien en nuestro mundo. Debemos recordar que en nuestro nuevo proceso evolutivo no hay nada «normal». La propia idea de la realidad está indisolublemente vinculada a la perspectiva de la persona que la experimenta. Cuando padres, maestros, cuidadores, etc., tienen una percepción inflexible de lo que es normal, ¡estos niños simplemente carecen de oportunidad!

Los niños cristal piensan con tanta rapidez que muchas veces parecen brincar de un tema a otro, lo cual hace difícil seguirles el paso. Son hiper-conscientes y perceptivos: sienten con gran profundidad y sus reacciones son veloces como un relámpago. No se les puede engañar. Una tarde, cuando mi nieta tenía 5 años, sostuvimos una seria conversación, durante la cual, en un determinado momento, me sentí preocupada. Algo que ví por la ventana llamó mi atención. Mi dulce niña estaba preguntándome sobre algo que ella sentía que era muy importante. Cuando volví de mi ensueño, la pequeña me estaba mirando con sus ojos azul-cristal, como diciéndome: «no hay nada que me puedas ocultar». Preocupada, respondí a su pregunta desde una reflexiva perspectiva «adulta» y no a partir de lo que estaba en mi corazón pero que no había tenido tiempo de ver. A veces, para un adulto, una respuesta simple es más fácil que una larga conversación. Mi nieta dijo: «No me has dicho la verdad. ¡Vi como pasó por tu cabeza y a través de tus ojos!» Sentí que me había sorprendido *in fraganti* y, con franqueza, experimenté cierto embarazo. La niña tenía toda la razón. Le pedí disculpas y le dije lo que había sentido en realidad. ¡No lo volveré a hacer!

Los niños cristal suelen tener bien equilibradas las áreas izquierda y derecha de su cerebro. Suelen ser inteligentes en sumo grado, pero enfocan cada tema con un genuino sentido de honradez y de todo corazón. No tienen mucha paciencia para razonamiento lineal porque captan al instante el cuadro completo, con todo lujo de detalles. Son también muy propensos a hacer de pronto, inesperadamente, observaciones profundas. He aquí varias observaciones de niños que he conocido:

v *La vida no es solamente cosas y asuntos. Es amarnos a nosotros mismos y a otros tanto como podamos.*

v *Quisiera que las personas comprendieran que cuando están enfadadas o felices o tristes es que en realidad comparten estos sentimientos con todos que las rodeen. Los sentimientos son energía, y la energía se desplaza.*

v *Si Dios está en mí, entonces yo también debo ser Dios. ¡Esto significa que soy realmente el amo de toda mi creación!*

Las circunstancias normales de un aula son muy difíciles para los niños cristal, ante todo porque se espera que estén sentados tranquilos y aprendan paparruchadas. Ya que esto les es imposible, se producen incidentes sociales en que los niños actúan por frustración. Son pensadores conceptuales y poseen la capacidad de captar información por entero sin necesidad de instrucciones «palabra por palabra». Recordad: tienen la percepción consciente de todo y de todos. Ya poseen una vasta cantidad de información que la mayoría de nosotros no poseemos. En segundo lugar, la mayoría de los ambientes escolares son todavía muy institucionales, con independencia de la clase y los adornos que pueda tener en las paredes. Estos niños perciben los ambientes institucionales como algo duro y poco acogedor. Por último, debido a su capacidad de realizar varias tareas a la vez, los niños cristal pueden parecer dispersos. Saltan de una actividad a otra y no siempre terminan una cosa antes de pasar a la siguiente. Suelen dejar un rastro de sus juguetes y otros objetos cada vez que algo más atrae su atención. ¡Esto puede ser enloquecedor para los maestros y padres!

Otro asunto es la dieta. Los niños cristal tienden a comer más como pájaros que como personas. Les gusta «picar»: comer pequeñas cantidades con frecuencia, y de veras no soportan estar sentados compartiendo toda una comida. Una cena de tres platos es, muchas veces, excesiva para ellos y los puede enfermar. Muchos de esos niños son muy quisquillosos en cuanto a ciertos alimentos. Parecen saber lo que necesitan. De esto hablaremos más adelante.

Entre los niños cristal prevalecen remembranzas de vidas pasadas y del «hogar». En una u otra ocasión, casi todos los niños cristal han manifestado el deseo de «ir a casa». Sus padres les dicen: «Pero cariño, *estás* en casa». Y los niños aseguran a los padres que, de hecho, *no lo están*. Una mamá preguntó a su hijo qué recordaba del «hogar», después de que el niño le preguntara, una y otra vez, cuándo podría regresar allá. Le respondió: «Lo que más recuerdo es que allí ¡estaba tan libre!». Otro dijo a su papá terrenal: «Recuerdo a mi verdadero padre: él no muere nunca».

Cuando estudiamos metafísica, nos suelen decir que elegimos nuestras vidas y escogemos a nuestros padres. Una se pregunta a veces si esta información es cierta o una versión de alguien de una realidad imaginada. Sin embargo, después de haber dedicado tiempo a estos niños, no queda lugar a dudas de que algo fantástico está sucediendo. Una de mis citas favoritas proviene de una niña cristalina dulce y muy dotada, Christina, cuando aún era muy pequeña: «Cuando estaba eligiendo 'allí arriba' mi nueva familia miré a montones de gente pero sabía que tú eres una persona buena de veras, así que te elegí a ti».

Conozco a su mamá. ¡La niña tenía razón!

Nicholas

(Nicholas Tschense escribió el prólogo de este libro. Su inteligencia y belleza irradian hacia la humanidad desde su corazón, y me siento honrada más allá de lo que se pueda expresar por haber dotado estas páginas con la gracia de sus palabras. Todo lo escrito por él ha sido incluido con el permiso de Nicholas y de su familia, poseedora de todos los derechos reservados de *copyright* y de cualquier otro tipo sobe la obra de Nicholas.)

Nicholas entró en mi vida aproximadamente al mismo tiempo que los orbes empezaron a atraer mi atención. Cuando estaba haciendo investigaciones *on line* una serie de vínculos sincrónicos en la Web me condujeron al sitio Web de Nicholas. La referencia a este sitio Web no estaba en el lugar donde yo pudiera esperar, y era como un faro familiar que de inmediato atrajo mi atención.

Cuando hice un *clic* en su vínculo, lo primero que vi fue la fotografía de Nicholas. Lo que pude ver y sentir fue un niño lleno de

Figura 5. Nicholas

amor y pletórico de gracia. ¡Me robó el corazón, al instante e irrevocablemente! Fue como si Nicholas y yo nos hubiéramos conocido desde siempre. Por e-mail y a través de su mamá, Susan, nos comunicamos de inmediato.

Mi amigo Nicholas es un ser especial en sumo grado. Verdadero niño cristalino, su propósito en la vida es enseñar a las personas sobre el amor. Debido a que no habla con palabras, se comunica con gran elocuencia por medio de escritura. Escribe palabras asombrosas y bellas, y lo ha hecho desde que era un pequeñuelo. Nicholas extrae sabiduría y enorme amor hacia el mundo desde las insondables honduras de su profundísimo corazón. Sus mensajes nos recuerdan que somos mucho más que aislados fragmentos de humanidad individualizada. Sus palabras nos recuerdan nuestra unicidad y la importancia de estar en contacto con esta unicidad. Reflejan las mayores verdades y las expresan con la mayor gentileza. Nicholas ha llegado hasta el corazón de muchas personas. Cuando escribe, baja palabras desde la luz del cielo y las traduce al lenguaje humano. Suya es la verdad de Uno.

Cuando Nicholas tenía 4 años escribió este poema (con un poco de ayuda de una amiga en ortografía):

El amor me mueve,
El amor es bello,
El amor me calma,
El amor me conmueve
¡Cuando pasa por mí!
En el interior de mi cuerpo
Me mueve
Y soy vivo,
Y mi ser es único.

Nicholas *es* amor. Es un puente entre la humanidad y el cielo, y lo hace sin timidez y con gran sinceridad. No tiene miedo de decir al mundo lo que sabe, y sus dotes son invaluables. A los 6 años, Nicholas presentó el siguiente discurso ante un auditorio de más de 200 personas en el V Congreso Mundial sobre Qigong, y fue ovacionado de pie. Momentos antes de presentar este discurso, Nicholas recibió un premio por su contribución al *Child and Youth Project for Healing and Peace*.

¿Por qué los humanos requieren de la naturaleza para la sanación?

La naturaleza es el mejor medio para alcanzar armonía. La naturaleza representa el amor y Dios el orden perfecto. Cuando alguien se comunica con la naturaleza, puede tomar algún tiempo para sentir su presencia plena, pero creedme, toda ella está allí. La naturaleza posee su asombrosa belleza. Posee la presencia divina de Dios, plenamente ordenada. Es tan sorprendente cómo Dios nos ha concedido este don. Está aquí para nuestra sanación y admiración. Debemos enfocarlo con lo más grande de nuestro amor y bendición. Entonces, en cuanto la naturaleza sienta este amor, seguirá otorgándonos su premio de vida. La sanación viene desde el interior; por lo tanto, nuestro punto de referencia debe ser el poder proveniente de la divina naturaleza y de Dios, lo cual para mí es casi lo mismo. La sanación proviene de la naturaleza y la meditación. La meditación es la respuesta. Produce el conocimiento supremo. Produce la inteligencia universal, y es una generosa biblioteca de la que todos podemos hacer uso. La inteligencia ofrece todo cuanto procuramos. Todo se puede encontrar allí. Así que la próxima vez que os volváis hacia el televisor para conectarlo, en vez de esto poneos a meditar para sintonizar con vuestro infinito poder y potencial de sanación. ¡Gracias a todos por concederme atención!

Con amor,
Nicholas

(Copyright Nicholas M. Tschense. Todos los derechos reservados. Reimpreso con el permiso de Nicholas y su familia.)

Nicholas, que tiene 9 años ahora que escribo esto, está en disposición de iniciar el gran comienzo para producir un cambio en este mundo. Es uno de los Niños Nuevos que poseen infinito amor e ilimitada sabiduría que nos ofrecen. Sólo pide que escuchemos y aprendamos que el amor es la verdadera respuesta a nuestros interrogantes. Estamos escuchando, Nicholas. Con toda atención.

Pete

Los relatos sobre cómo los niños cristal recuerdan sus vidas pasadas y su existencia en el «cielo» abundan. Uno de ellos se refiere a un niño pequeño que llamaré Pete y que ahora que escribo estas líneas tiene 6 años. Pete posee, al igual que muchos niños cristal, una genuina percepción consciente multidimensional.

Hace poco tiempo, cuando su papá lo estaba arropando para dormir, Pete dijo: «¡Mira, papá! ¿Ves a estos hombres que vienen a través del techo?»

El padre respondió: «Bueno, no los veo, pero te creo.»

Pete repuso: «Sabes, papá, son de la dimensión contigua, no de una lejana, sino de la contigua.»

Una vez, hace un par de años, Pete se acercó a su papá y le dijo que necesitaba tomar lecciones para aprender a hablar el chino. Dijo que en realidad ya lo sabía, pero que sólo necesitaba una ayuda para recordar. Y prosiguió diciendo a sus actuales padres que había sido niño emperador en China, y debido a los detalles que dio a los padres, ellos fueron capaces de verificar su relato con fuentes históricas. Pete tuvo sus lecciones del idioma chino y, casi de inmediato, ¡habló con soltura en esta lengua!

Un día, Alec, otro niño dotado y amigo de Pete, estuvo visitando a éste y a sus padres. Les narró una dramática historia de cuando él y Pete habían vivido juntos en Perú. Alec les reveló sus nombres de entonces y cómo se habían escondido en una habitación de hotel. Mientras trataban de escapar en secreto, una banda de hombres armados les atacaron y dispararon sobre ellos hasta matarlos. El relato de Alec estaba tan profuso en detalles que más tarde su mamá pudo investigar y verificar esta historia. Con toda evidencia, en los momentos que describía Alec, en Perú hubo una sublevación política. Ha de ser difícil para un padre o una madre imaginar que su niño ha vivido otras vidas, llenas de emociones, antes de regresar a la Tierra como hijo suyo.

Los niños cristal poseen un gran propósito y desean decir claramente a todos que les escuchen, que este propósito consiste en devolver a la humanidad un incondicionado amor y ayudar a instaurar la paz en el mundo al despertar de nuevo la percepción consciente de la unicidad en la consciencia colectiva. Nuestra responsabilidad como cuidadores consiste en ayudarles a alcanzar sus objetivos y honrarlos por lo que son y por lo que han venido a hacer. Los niños cristal llevan dentro la sabiduría de generaciones, y nos la ofrecen sin pedir nada a cambio.

¿Qué vamos a hacer? ¿Vamos a escuchar sus mensajes y aplicar la sabiduría de generaciones a nuestras vidas actuales, nuestro entorno y nuestro mundo? ¿O vamos a optar por seguir siendo ignorantes, cerrando una puerta tras otra dentro de nuestros niños, a lo largo de su camino? Nuestros hijos son nuestro futuro. El futuro dentro de nuestros niños tiene la posibilidad latente de conducirnos hacia un gran giro, para el mayor bien de toda la humanidad, ¡con tal de que escuchemos lo que los niños han venido a decirnos!

Honrémoslos y cuidémoslos, y permitamos a nosotros mismos admitir la posibilidad de que a veces los niños saben más que nosotros. No limitemos las posibilidades de una realidad más grandiosa sólo porque no entendemos. Por el contrario, estemos dispuestos a explorar estos asombrosos dones junto con nuestros hijos. ¡No hay razón para tenerles miedo! Dotados como son, son *nuestros* hijos, y sus mensajes no son nuevos en absoluto: son simplemente cosas asombrosas que la mayoría de nosotros hemos olvidado.

Lista de control para reconocer a los niños cristal

Capítulo 5

* Tienen los ojos de color azul cristal o de un color oscuro muy profundo. Nos miran como si nos conociéramos desde siempre, ¡y es cierto!
* Poseen una gran sensibilidad hacia el entorno, el planeta y los sentimientos de otros.
* Son extremadamente intuitivos.
* Suelen ser telepáticos.
* Son conscientes socialmente.
* Poseen un dominio innato de energía sutil.
* Piensan de un modo compartimentado.
* Parecen muy dispersos en su atención.
* Son en extremo compasivos.
* No toleran ningún tipo de conflictos: los toman como cosa personal.
* Son sabios más allá de sus años.
* Son apaciguadores.
* Poseen cualidades naturales de sanación.
* Han nacido entre 1997 y la fecha presente (algunos pueden ser un poco mayores).

* Son extremadamente frágiles: suelen contraer enfermedades no identificables.
* Poseen abarcadores campos de energía con espectros de tonos de piedras preciosas oscuros o de gama pastel de colores claros.
* Suelen recordar vidas pasadas o sus experiencias entre vidas.
* Ven e interactúan con seres etéreos, como ángeles, Maestros, extraterrestres, etc., y hablan con frecuencia de «visitantes» y amigos invisibles a un nivel muy personal.
* A algunos se les ha diagnosticado DDA, DDAH o autismo.
* Poseen percepción consciente del propósito de su vida.
* Son generosos en extremo.
* Son amorosos, compasivos y perdonan con mucha facilidad.
* Están conscientes de las dinámicas interactivas entre las personas.
* Poseen la capacidad de captar la verdad sin esfuerzo.
* Necesitan tiempo a solas para regenerar o sacudirse las energías de su día.
* Son profundamente vulnerables pero muy poderosos.
* No pueden comprender la capacidad de los hombres de ser inhumanos unos con otros.
* Poseen un profundo amor por la vida, por otras personas y animales.
* Necesitan experimentar la naturaleza de modo regular.
* Aman jugar o estar sentados en el agua.

* Alrededor de ellos se producen acontecimientos «mágicos»: personas sanan, dinero aparece y cosas cambian para mejorar.
* Se sienten responsables por acontecimientos externos o las acciones de otros.
* Son imanes humanos: otras personas se sienten naturalmente atraídas hacia ellos.
* Su presencia puede alterar el funcionamiento de material electrónico.
* Poseen empatía.

Hijos de las estrellas

Capítulo 6

Los hijos de las estrellas son un grupo diferente de niños con dotes muy especiales. Partes de su estructura genética se han despertado de nuevo para traer a este mundo ayuda de origen interestelar. En el futuro, estos niños compartirán nuevas tecnologías y una nueva comprensión de las ciencias que, hasta el día de hoy, apenas hemos podido empezar a comprender. A un hijo de las estrellas se le puede definir como un niño de ambos orígenes a la vez: humano y extraterrestre. Hay muchas causas posibles para la contribución extraterrestre a la formación del niño. Pueden provenir de la reproducción, la ingeniería genética (mezcla intencional de múltiples razas), tecnología biomédica, vinculación telepática de consciencias (una especie de «introducción» de una consciencia en otra) o incluso de una encarnación, intencionalmente perpetrada, de un Visitante Estelar en un cuerpo humano. Entre los Visitantes Estelares se incluyen algunos niños que poseen aspectos paralelos, lo cual analizaremos en un capítulo posterior.

Lagunas en testimonios arqueológicos indican que, durante algunos períodos de la evolución humana, dimos enormes saltos en tecnología, metalurgia, alquimia y arquitectura, incluso tránsito entre mundos de consciencia que ni siquiera ahora se comprenden. En el seguimiento arqueológico de la historia y la evolución humana existen enormes lagunas. En otras palabras, faltan importantes piezas testimoniales que pudieran indicar un claro patrón de nuestro desarrollo físico.

La mayoría de los artefactos desenterrados por los arqueólogos demuestran que la raza humana provino, al parecer, de un ser similar al mono, y que esto sucedió de la noche a la mañana (hablando en términos de evolución). Al parecer, en nuestro desarrollo faltan algunos pasos. Por ejemplo, en las escrituras sobre las paredes de antiguas tumbas egipcias existen evidencias de la manipulación de energía. En estas pinturas se pueden ver, una tras otra, figuras que portan esferas de luz blanca, orbes de energía roja o inventos que parecen ser algún tipo de conductor eléctrico similar a nuestras actuales baterías. También en textos antiguos hay este tipo de referencias. En las «tablillas de raza» sumerias hay referencias a la raza U, que proviene, según se dice, de un distante décimo planeta de nuestro sistema solar. De modo similar, en Génesis, el primer capítulo de la Biblia, hay referencias a gigantes que vinieron del cielo, se mezclaron con los humanos y crearon toda una nueva raza de personas dotadas. De hecho, en la literatura antigua hay numerosas referencias que indican que nunca hemos estado solos en el universo y que, de hecho, hemos recibido influencia de visitantes que provenían de otros tiempos y otros lugares.

A lo largo de la historia, el arte ha descrito también a los Visitantes Estelares. Numerosas pinturas sobre temas religiosos representan discos voladores en el fondo o pintan máquinas voladoras, algunas incluso con sus pilotos extraterrestres. En la antigua India, a estas máquinas se les llamaba «vishnya», y existen abundantes historias sobre quienes volaban regularmente en ellas alrededor de la Tierra y más allá. Las lagunas en los descubrimientos arqueológicos, los objetos representados en el arte histórico y las palabras sagradas escritas hace mucho tiempo, indican que tal vez hubo ocasiones en las que visitantes provenientes de otros espacios del universo vinieron a nuestra Tierra y nos aportaron la contribución de sus materiales genéticos, sea mezclándose directamente con los humanos, sea introduciendo de modo intencional su ADN en nuestros sistemas biológicos en desarrollo.

En el mundo de hoy, existen numerosos adultos que llevan dentro algo de estos materiales genéticos. Su ADN ha despertado de una manera nueva, aportando nuevos conjuntos de sensibilidades. Los adultos que poseen estos rasgos genéticos sienten como si nunca encajaran dentro de nuestro mundo como seres humanos normales y, por lo tanto, sienten una gran necesidad de «ir a casa». Muchos son dotados desde el punto de vista intuitivo o psíquico, o dan muestras de otros talentos especiales, tales como capacidad inherente de ver cosas a distancia, sanar a otros y, en general, «conocer» más allá de su experiencia. A estas personas se les suele llamar «semillas de estrellas». Sienten también fascinación hacia algunas estrellas y constelaciones, en particular Orión, las Pléyades, las dos Osas y Sirio. Algunos sienten una fascinación especial por la Sirio B, que gira junto con Sirio. Algunos de los «semillas de estrellas» han dado muestras de conocimiento de idiomas, arte, literatura, música y de los símbolos que representan su origen interestelar. Los «semillas de estrellas» son precursores de nuestros hijos de estrellas, quienes han progresado aun más desde el punto de vista genético y evolutivo. Como el ADN de origen interestelar prosigue su evolución natural, los hijos de las estrellas están llegando a nuestro mundo.

Los campos de energía de los hijos de las estrellas están muy bien sintonizados y poseen un conjunto de relaciones de energía armónica completamente diferente de los otros seres humanos. Sus campos de energía son lisos y sedosos, sin estática. Estos campos son ríos de frecuencias lumínicas que fluyen de modo ininterrumpido, educando, tranquilizando y alimentando a los niños a su paso. Los hijos de las estrellas han venido a nuestro mundo con una inteligencia brillante. Poseen proclividad y facilidad para las ciencias y los principios científicos que, con frecuencia, son difíciles de comprender para los adultos «normales». Les gusta hablar sobre la realidad quántica.

Los hijos de las estrellas suelen soñar que vuelan, en habitaciones llenas de una luz blanca, o con una luz pletórica de color. Sueñan con despegar en naves espaciales y hablar con seres de otros mundos. Muchos de los hijos de las estrellas poseen también un efecto único sobre los equipos electrónicos, provocando que funcionen mal o que se conecten y desconecten sin ton ni son. Estos niños pueden hacer que los faroles callejeros se apaguen a su paso, sea caminando o en un coche. Poseen grandes dotes intuitivas y, con frecuencia, una gran cantidad de energía sanadora. Muchos de ellos pueden ver auras y otros campos energéticos. Usando sus dotes psíquicas, pueden diagnosticar correctamente enfermedades del cuerpo físico. También pueden influir en otros por medio de telepatía y, con frecuencia, son clarividentes. De algunos de ellos se ha sabido que han levitado (se han elevado sobre el suelo y flotado en el aire a voluntad) o han dado muestras de la telequinesia (han movido objetos con la mente).

Estos asombrosos niños se parecen a los niños cristal en que piensan de manera compartimentada. Son capaces de dar asombrosos saltos en la lógica, partiendo de la hipótesis y llegando a la solución casi al instante. Tienen una asombrosa capacidad para procesar grandes cantidades de información a la vez. Parecen recibir «descargas» de información y son capaces de analizar muchos temas sin que exista evidencia alguna de que los hayan estudiado jamás en la escuela o en ningún otro lugar. De algunos de ellos se sabe que pueden desaparecer y reaparecer en cualquier otra parte, ¡lo cual puede ser bastante frustrante para los padres!

Los hijos de las estrellas poseen también muchas veces percepción consciente multidimensional. Para ellos es fácil atravesar múltiples realidades e incluso hablar sobre estas realidades con otros. No les cuesta ningún esfuerzo procesar información sobre temas múltiples a la vez y sin confusión. Son capaces también de expandir y reducir el tiempo de modo consciente: de hecho pueden hacer que los acontecimientos se alarguen o se acorten, trabajando desde fuera del tiempo. Poseen entendimiento intrínseco de que la consciencia es más veloz que la luz, y utilizan la consciencia para distorsionar a su antojo las relaciones temporales. Los hijos de las estrellas son también muy conscientes de su entorno y se interesan activamente por las condiciones del planeta.

Físicamente hablando, los hijos de las estrellas suelen tener una cabeza algo más grande de lo usual. Debido a esto, a la hora de su nacimiento muchas veces se requiere una cesárea. Su temperatura corporal suele ser baja. Por ejemplo, en vez de la temperatura normal de 37 °C, los niños de las estrellas tienen con frecuencia la temperatura corporal de 36 °C, lo cual indica que la energía de su cuerpo en los niveles metabólicos se consume más lentamente. Los hijos de las estrellas suelen poseer un fuerte sistema inmunitario y, en circunstancias normales, permanecen muy sanos. Por desgracia, debido a que a muchos de los hijos de las estrellas no se les reconocen sus dotes, algunos se vuelven depresivos o manifiestan una enfermedad física en señal de su malestar.

Trevor

Trevor fue uno de los primeros hijos de las estrellas con quien trabajé. Trevor poseía no sólo el sistema energético de hijo de las estrellas, sino también un amplio campo energético cristalino. Cabe asimismo en la categoría que denomino «nuestros bellos silentes». Cuando estaba trabajando con él, aún no había aprendido las diferencias distintivas entre los niños (o que estas diferencias se podían combinar para crear situaciones únicas). Al pasar los años, experiencias ulteriores me mostraron que esto es típico de la rápida evolución que estamos experimentando ahora. Muchos de los niños no encajan con facilidad en una u otra categoría. Sin embargo, los rasgos primarios dentro de los grupos particulares existen.

La familia de Trevor estaba en sumo grado dispuesta a ayudar, ya que el hijo daba muestras de una brillante combinación de dotes. Los padres pertenecen a este grupo de personas que se adelantan al resto de la humanidad y, por instinto, saben intentar cosas alternativas para ayudar a su hijo. Cuando trabajé con Trevor, el niño tenía 9 años. Sin duda, se comunicaba de manera multidimensional. Trevor no había empezado a hablar verbalmente hasta la edad de unos 3 años, e incluso entonces lo hizo con frases muy fragmentadas. Hasta los 9 años tenía dificultades con el discurso verbal. Desde que era lactante, se comunicaba por telepatía. En aquel entonces, su mamá no comprendía lo que estaba pasando, pero pronto se dio cuenta. A causa de su telepatía y a causa de que sus padres lo vieron siempre como un ser evolucionado desde el punto de vista espiritual, Trevor nunca tuvo necesidad de hablar verbalmente. Sus padres lo animaban a hablar así sólo para que pudiera funcionar en el plano terrenal. A medida que Trevor fue creciendo, unas cuantas personas trataron de convencer a sus padres de que era autista. Ninguno de los dos lo creyó así, puesto que ya sabían que las diferencias de su hijo no se debían al autismo.

Trevor hablaba muchas veces sobre la vida en otro planeta donde todo era mucho más cómodo. Decía que cuando vivía allí las personas se parecían «a la energía de Dios y a la luz». Dijo que las personas volaban a su antojo todo el tiempo y que eran seres amables y amorosos. Trevor dijo a sus padres que su cuerpo terrenal era demasiado incómodo y difícil para estar en él porque era muy restrictivo. Estaba impaciente por volver a volar y muchas veces lo soñaba. Los padres de Trevor hacían todo lo que podían para ayudarle a estar más cómodo dentro de su cuerpo. Trabajaron con chamanes, quienes les enseñaron cómo viajar conscientemente («viajar» consiste en enviar la conciencia fuera del cuerpo, a veces con determinada intención o interrogante). Los senderos chamánicos son amplios y variados sobre diversos planos de la realidad, y tanto Trevor como sus padres aprendieron a explorar juntos el universo. Les gusta mucho hacerlo.

La familia de Trevor enfocaba sus diferencias desde una perspectiva holística. Trabajaron con sanadores alternativos y otros como una familia, de modo que pueden estar en sintonía unos con otros y ayudarse pase lo que pase. Cuando Trevor tenía 15 meses y todavía no podía gatear, sus padres lo llevaron con un quiropráctico que no empleaba fuerza. A partir de la primera sesión, empezó a gatear y caminar solo. Trabajaron también con un quiropráctico neurológico muy avanzado que usaba la quinesiología. Al igual que muchas familias, los padres de Trevor preguntaban sobre cada doctor antes de recurrir a sus servicios. Deseaban que Trevor estuviera cómodo y capaz de participar en el trabajo. Este es un punto vital. (Recordaréis a William del capítulo 3. William llama a los doctores antes de hacer que sus padres se dirijan a ellos, y también envía a sus amigos cuando sabe que están dispuestos para determinado tipo de trabajo. Esto parece ser un *status quo* para estos niños muy dotados. ¡Están años luz por delante de los que no hemos nacido con tales dotes!)

Los padres de Trevor hacían con él diversos ejercicios, tales como Gimnasia Cerebral. Pusieron lo mejor de su parte para hallar maneras divertidas de llevar a práctica un trabajo que pudiera ayudar a Trevor a aprender nuevas habilidades físicas y llegar a ser más fuerte. Hacían los ejercicios dos o tres veces a la semana, para que no resultaran demasiado tediosos. Trevor y su familia hicieron juntos también ejercicios de yoga, y tomó lecciones de equitación, que le gustaba mucho. No ha llegado a ser un jinete de competencias, pero le dedica tiempo y lo disfruta.

Trevor contó a su familia sobre muchas de sus vidas pasadas, que en su mayoría fueron muy traumáticas.

Cuando compartía sus historias, era como si las reviviera en ese momento. Cuando hablaba de detalles, la profundidad de su sentimiento era extrema, como si le ardiera el alma a causa de los recuerdos. De modo similar a otros niños descritos en este libro, Trevor tenía a varios visitantes nocturnos que no siempre eran amistosos. Al parecer eran personas ya fallecidas, cual si Trevor fuese un vínculo entre este mundo y el mundo espiritual. Trevor decía que primero veía a la persona fallecida, y después a los ángeles que llegaban para acompañarla al mundo espiritual. Cuado los padres de Trevor le preguntaron qué era lo que los espíritus deseaban de él, todo cuanto les dijo fue que, evidentemente, los espíritus, antes de irse, necesitaban que se les confortara y tranquilizara. Sus padres le enseñaron cómo protegerse con la luz de la Fuente, y le dijeron que debía decidir cuáles eran los seres aceptables para él. Esto le fue muy útil.

Trevor dijo también a sus padres que antes de venir al plano de la Tierra, Jesús le había dicho que fuese muy cuidadoso con su cuerpo. Sus guías espirituales eligieron a sus padres porque sabían que cuidarían muy bien de Trevor. (Una y otra vez esta autora ha escuchado historias de niños que informaban a sus padres de por qué se les había elegido. Esto parece ser un rasgo común de los Niños de Ahora.)

Un verano, Trevor dijo a sus padres que un perro había penetrado de noche en su patio. Contó cómo había «volado» escaleras abajo y salido para estar con el perro. El animal se estaba muriendo y padecía mucho, así que Trevor le preguntó si podía introducir una mano en su cuerpo para ayudarle. El perro le dijo que sí («en su mente», como lo denomina Trevor). Trevor puso la mano sobre el cuerpo del perro, y el animal le agradeció por haberlo librado de su dolor. Entonces llegaron los ángeles y se llevaron al perro al mundo espiritual. Esta fue la primera incursión de Trevor con un canino, pero sus noches suelen estar dedicadas a vuelos y otras experiencias extraterrenales.

Los padres de Trevor han expresado lo que sienten tantos otros en su situación, o sea, que se sentían muy aislados en sus experiencias con un hijo tan especial. Después de todo, hablar sobre sus extrañas experiencias con otros conduce a veces al ostracismo o peor. Padres en tales situaciones sienten ansias por encontrar a otros con quienes poder compartir sus experiencias. Hace años que no converso con la familia de Trevor. Lo último que he oído es que Trevor todavía padece extremos cambios emocionales y, en ocasiones, lucha contra el miedo por su cuerpo y algo de lo que es capaz de ver, en particular algunos de los seres quienes muestran curiosidad hacia él, aunque se ha vuelto más «presente» con otros en comparación a como era antes. Insisto: ¡me quito el sombrero ante la mamá y el papá de Trevor! Son un ejemplo perfecto de padres flexibles y creativos que prestan atención verdadera a las extraordinarias necesidades de su hijo.

John Everett

Algunos lugares que visité a lo largo de los años han enriquecido y desarrollado en gran medida mi práctica. Generalmente, cuando vuelvo a visitar esos sitios, mi programación está a plena capacidad y tengo una lista de espera. Hay algunos que acuden de manera regular, y otros con quienes nunca antes me había encontrado. En una de tales ocasiones, un anochecer, llegó la hora de mi última cita del día. Ya conocía un poco la situación de antemano por la persona que había reservado la cita. Sabía que iba a trabajar con un niño de unos 7 años. John Everett y su mamá, Francis, llegaron a la cita puntualmente. Francis estaba algo nerviosa, sin saber con exactitud lo que los esperaba. John Everett estaba vestido con un pijama rojo. Era pequeño y, para su edad, físicamente poco desarrollado, y la sedosa y aterciopelada piel de su carita le daba apariencia de perfección. Tenía cabello castaño claro y un ligero aire de derrota. Me pregunté por qué.

John Everett, una visión vestida de rojo, llevaba un libro que era casi de su propio tamaño. El libro trataba sobre la construcción aviones militares y tenía casi cinco centímetros de grueso, como esos que se podrían ver sobre una mesita de café. Lo cargaba de un modo totalmente posesivo y no lo dejó al sentarse en el sofá. Francis era muy conversadora y habló sobre los niños índigo y un libro sobre éstos que había leído. Alguien le había dicho que John Everett era índigo, y Francis hizo todo lo posible para que el director y todos los maestros de la escuela de John Everett tuvieran un ejemplar personal de ese libro sobre los índigos y así pudieran aprender sobre los niños dotados (*véase*, ¡las mamás!). Francis estaba preocupada porque el desempeño de John Everett en la escuela no iba a la par con su evidente inteligencia, y estaba muy segura de que algo andaba mal con su hijo. Por lo que pude ver, parecía desear que su hijo se convirtiera en un dechado de conocimientos. Francis tenía buenas intenciones, pero a mí me pareció que estaba ejerciendo demasiada presión sobre el hijo, o al menos esto fue lo que pensé inicialmente.

John Everett no estaba demasiado interesado en conversar conmigo, ante todo porque no me conocía. Al comienzo de nuestra sesión observé que Francis hacía una pregunta al niño y luego la respondía por él. Esto parecía exasperar un poco a John Everett, y tuve que admitir que su exasperación era algo contagiosa. El niño tenía poca necesidad de decir muchas cosas. Para establecer una relación con él, mostré interés por su libro sobre aviones. Le dije que mi papá había estado en la Fuerza Aérea y que no me podía acordar en qué clase de avión volaba. John Everett resplandeció como un arbolito de Navidad. Abrió el libro en la página precisa e inició una letanía sobre las características del avión en que había volado mi padre. A continuación, se enfrascó en una comparación entre este avión y otros, construidos antes y después. Era asombroso. John Everett conocía cada detalle de cada avión: desde la estructura, la hidráulica y la mecánica, hasta los problemas que pudieran tener y las ventajas de cada avión. Era como si fuera una enciclopedia andante sobre aviones. Pero no era más que el comienzo.

Desvié la conversación desde los aviones hacia la escuela, haciéndole una pregunta sobre sus experiencias allí. En seguida me di cuenta de que John Everett no estaba demasiado interesado en este tema, así que le pregunté sobre el porqué. En vez de responderme de modo directo, John Everett se volvió hacia su mamá y dijo: «Mamá, si te hubieran hecho una prueba preguntándote sobre todo lo que sucedió a lo largo de cada día desde que naciste, ¿podrías responder a esas preguntas? ¿Te interesaría? Después de todo, ¡has vivido desde entonces toda una vida!» Francis se mostró algo confusa y le tomó unos instantes comprender lo que el niño estaba diciendo en realidad. Entonces, logré que Jonh Everett continuara:

«Mire, en la escuela los maestros nos dicen que leamos cosas. Nos enseñan cosas. Después de esto, aprendo mucho más de lo que ellos me pueden decir; es como si yo viviera una vida entera durante cada semana. Entonces los maestros esperan de mí que retroceda para recordar todos esos pequeños detalles que ya no importan porque estoy a una distancia de años luz delante de ellos. Claro que me apresuro para salir de ellos. Para mí, esas pruebas no tienen sentido, ¡son una pérdida de tiempo! ¡Ya me sé todo eso!»

Mmmm… Me estaba dando cuenta de que este niño era más prodigio de lo que nadie creyera. ¡Tal vez la mamá tuviera razón! Entablé con John Everett una conversación sobre lo que estaba aprendiendo y lo que era mucho más importante que sus tareas escolares. Mientras hablamos, el niño decidió dirigirse a la mesa de sanaciones y permitirme trabajar con él. En cuanto accedí a su campo, se me hizo evidente que este niño era una obra maestra de afinada sintonización y que poco trabajo me quedaba por hacer. Su campo de energía vibraba con una frecuencia muy elevada casi sin variación. Era claro e intenso. No es inusual que los hijos de las estrellas exhiban en sus campos energéticos algunos rasgos de energía cristalina, y John Everett no era excepción.

Mientras yo trabajaba, John Everett y yo conversábamos, y nuestra charla comenzó a desviarse hacia un tema especialmente asombroso. Antes de que transcurriera mucho tiempo, estábamos discurriendo sobre realidad multidimensional, agujeros negros, realidades paralelas, universos paralelos, relaciones armónicas, túneles entre tiempos y espacios, etc., todo con tanto lujo de detalles como sólo podía ofrecer alguien que hubiera experimentado estas realidades y las pudiera comprender. Su asombrosa amplitud de conocimientos era pasmosa incluso para mí. Su confianza y seguridad en relación con cada tema estaban a flor de piel. Comprendí en seguida que Jonh Everett simplemente estaba aburrido. No tenía a nadie con quien relacionarse. Nadie podía conversar con él sobre la mayor parte de su realidad, así que permanecía callado, dejaba que su mamá fuera quien hablara durante la mayor parte de las conversaciones y proseguía callado con su proceso de aprendizaje y viajes multidimensionales. Sentí una emoción inenarrable.

Sin lugar a dudas, John Everett era un hijo de las estrellas, y me sentía cautivada. No es frecuente que otra persona pueda hablarme sobre el mismo tipo de experiencias extraordinarias que yo he tenido. Éramos como dos gotas de agua, ambos emocionados de que el otro fuese capaz de proseguir con la conversación. Hablé con Francis y le expliqué que John Everett simplemente necesitaba que lo escucharan personas que pudieran comprenderlo, incluso si esto implicara conseguir para él un asiento en conferencias y clases universitarias, lecciones de astronomía o cualquier otra cosa que fuese de interés para él. John Everett tenía capacidad para procesar de modo simultáneo increíbles cantidades y combinaciones de datos, y sus intereses aumentaban de un modo espectacular. Aconsejé a Francis que se esforzara más por socializar a John Everett en esferas que fuesen de mutuo beneficio tanto para él como para sus conocidos, así como que proporcionaran alimento a su insaciable deseo de aprender cosas nuevas. Los intereses de John Everett se centraban principalmente en las ciencias, así que le di a Francis algunas sugerencias en cuanto a las organizaciones con las que pudiera entrar en contacto.

Cuando le dije con franqueza que nada malo le sucedía a su hijo, Francis se mostró muy asombrada. Esto se debía a que era incapaz de identificarse con la amplitud de la inteligencia de John Everett. ¡Tener un hijo así podía ser un reto! Cuando a tales niños no se les comprende bien, surge una falta de estimulación para sus dotes, y a veces se les ve como niños defectivos. La atención que se les da no los nutre ni les anima; tiende más bien hacia lo que se califica como disfunción. La identidad del niño se convierte en un término o diagnóstico, y cuando esto ocurre el niño se estanca en un pantano de menosprecio social. Sentí de cierta manera que si pudiera explicar mejor las diferencias de John Everett éstas hubieran sido más fáciles de captar por su mamá. Sin haberla conocido antes de esta sesión, tuve cuidado de no asustarla al abrir ante ella de golpe y porrazo todo el alcance de la realidad. Siento que al ponerle a alguien una «etiqueta» clasificatoria se pierden las posibilidades de su expansión, así que no quise proveer a su hijo con ningún tipo de «etiqueta». Con mucho cuidado y delicadeza, expliqué a Francis quiénes eran los Niños de Ahora y le hablé sobre los talentos de su hijo y sus causas. A medida que hablábamos, Francis se tranquilizó y empezó a comprender que John Everett no padecía de ninguna disfunción; de hecho, lo que tenía se podría llamar «*hiperfuncionamiento*». Simplemente, nadie supo preguntarle cómo se las había arreglado para aprender todo eso porque sus capacidades no cabían en la estructura social normal. Se le acusaba de ser perezoso, cuando en realidad le daba mil vueltas a la inteligencia de cuantos lo rodeaban.

No hace mucho tiempo tuve la oportunidad de visitar a John Everett; está creciendo para convertirse en un joven bien parecido, con unos ojos que, cuando te miras en ellos, te llevan a lugares infinitos. Está trabajando sobre unas invenciones bastante raras y prosigue su desarrollo. Cuando Francis lo sacó de la escuela pública, comenzó a avanzar a grandes pasos en sus estudios porque ya nadie tiraba de él hacia atrás. Francis está haciendo un trabajo fantástico, no sólo al responder bien a las necesidades de John Everett, sino también en ayudarse a si misma en este proceso.

John Everett es sólo uno de los muchos niños, que son como él, con quienes me he encontrado. Algunos de ellos pasan mucho tiempo aislados en su percepción consciente de que se van perdiendo a pesar de toda su brillantez. ¡Y tienen tanto que compartir!

Steven

Nuestro ADN —los materiales genéticos que determinan nuestro aspecto e incluso aquello de lo que somos capaces— está lleno de información y memorias de todo lo que hubo antes. Esta información se traduce en la memoria celular. Nuestra memoria celular contiene información ancestral que propaga los patrones conductuales familiares. La información se acumula dentro de nuestro ADN y, por consiguiente, nuestros materiales celulares, influyen en nuestra experiencia terrenal. Algunas personas poseen en realidad recuerdos cognitivos de vidas anteriores. Otros tienen padecimientos o dolores físicos sin causa evidente pero que son muy reales aquí y ahora. Las memorias de vidas pasadas que se almacenan en nuestro cuerpo son muy reales, como también lo son los síntomas que causan. Debido a ello, los hijos de las estrellas suelen tener extraños padecimientos que los médicos tienen dificultades para diagnosticar, si es que pueden hacerlo. Sus cuerpos llevan dentro recuerdos de conflictos o heridas anteriores al igual que brillantez mental. Los niños pueden dar muestras de dolores, fiebres, malestares, depresión, disfunción orgánica u otros síntomas anómalos. A uno de tales niños lo llamaré Steven.

La mamá de Steven me lo trajo porque tenía constantes problemas de salud. Steven parecía estar cada vez más decaído y comenzó a padecer una depresión. Tenía terribles dolores de cabeza y un malestar general que, al parecer, era incapaz de evitar. Al igual que John Everett, era tan inteligente que otras personas no podían relacionarse fácilmente con él e incluso a veces no lograban hacerlo en absoluto. Se sentía aparte de los otros miembros de su familia, de sus pocos amigos y de los niños en la escuela. El padre de Steven, al darse cuenta de su extrema inteligencia, lo presionó muy duro, exigiéndole perfección. Era demasiada presión para un ser tan pequeño. Al hablar con la mamá de Steven, llegué a la conclusión de que toda la familia estaba involucrada. La madre, en particular, era en extremo dotada intuitivamente, y tanto ella como todos los hermanos de Steven presentaban extraños y serios problemas médicos. Comencé a comprender que estábamos trabajando con una familia que compartía los rasgos de «semillas de estrellas» y una generación consecutiva de hijos de las estrellas.

Cuando empecé a trabajar con Steven, me percaté de que su campo de energía se sentía como si se lo estuvieren drenando, y busqué la causa. Durante cierto tiempo fui incapaz de ver o sentir la razón de lo que percibía. Mientras trabajaba con las capas energéticas de Steven, una tras otra se salían de lo común. Sus campos de energía carecían de armonía, y por todas partes había extrañas obstrucciones que no me dejaban ver. Las obstrucciones parecían restringir parte de la comunicación dentro del campo de energía de Steven, y ésta tenía un patrón que yo no podía reconocer. Al moverme a través de una capa cada vez, ordené arreglos, y el campo de energía empezó a armonizar. Las obstrucciones desaparecieron y la energía empezó a fluir más normalmente.

Al trabajar la cabeza de Steven, se me orientó para que actuara sobre sus oídos. En el izquierdo, en medio del tejido de la oreja, había una protuberancia. De acuerdo con los gráficos de la acupuntura china, esta área en particular tiene que ver con la glándula pituitaria, la tiroides y el cerebro, todos los cuales regulan el cuerpo de diferentes maneras. Por la manera cómo se percibía la protuberancia, tuve el sentimiento de que podía ser algún tipo de implante. Lo usual es que, cuando se trabaja con puntos de digitopuntura, se libera energía. En este caso, mientras trabajaba sobre el área de la oreja, ésta de hecho atraía energía. Se sentía como si el área fuese ajena al equilibrio del campo de energía de Steven y a su cuerpo físico, y la masa no disminuía a medida de que actuaba sobre ella. Yo sabía que esta era la causa de los dolores de cabeza de Steven. Cualquier cosa que fuese aquello, estaba fuera de armonía en relación con el resto de él y le causaba dolor físico. Trabajé un poco más sobre el área, llevé a cabo algunos cambios de manera armónica e instruí a la mamá sobre cómo hacerlo en casa. Aún no sentía haber descubierto todo lo que causaba los problemas de Steven, así que seguí buscando. Por último, lo encontré.

Cada uno de nosotros posee un campo de energía que nos rodea por completo. Es como un tibio capullo que actúa a modo de barrera e intérprete entre nosotros y el resto de la creación. Este campo «nos trae» mensajes que nos llegan, de modo que nuestra conciencia pueda traducir lo que recibe a la verdadera cognición. De manera similar, lo que experimentamos, pensamos y sentimos se convierte exteriormente en energía refinada para penetrar en toda la creación. En cierto modo, el campo que nos rodea nos mantiene juntos como seres manifiestos. Las diminutas partículas que nos componen se unen en arreglos armónicos que se juntan, seguros, dentro de nuestro campo circundante. Algunas personas pueden ver una parte de este campo en forma de auras. El tamaño de nuestro campo exterior depende de nuestra resonancia armónica dentro de la creación, al igual que de nuestro estado físico, espiritual y emocional. Cuando no nos sentimos bien, nuestro campo circundante se reduce y permanece más cerca de nuestro cuerpo para preservar energía. Cuando nos sentimos extraordinariamente bien, «en la gloria», nuestro campo se amplía y la comunicación con el entorno se facilita.

El campo de Steven presentaba una anomalía extraña. En el punto más alto de su campo, directo sobre el área del corazón, había un accesorio inusual, de aspecto atemorizador. Era un accesorio parásito y drenaba toda la vitalidad de Steven. Con franqueza, nunca antes había visto nada así. Cuando trabajamos en un sistema de energía de modo multidimensional, accedemos técnicamente a toda la historia de esa persona en todas sus vidas. Este accesorio particular era de origen antiguo, intergaláctico. Era muy similar al pez piloto que nada junto a ballenas y tiburones. Sin embargo, los peces pilotos suelen ser simbióticos con ballenas y tiburones porque prestan servicio a sus anfitriones al limpiar su cuerpo devorando las impurezas. En el caso de Steven, el accesorio no le prestaba servicio alguno. De hecho, le robaba su fuerza vital. El área afectada del campo de Steven se veía engrosada, restringiendo la fluidez de la energía. Había también una zona oscura en el centro del área engrosada, y allí parecía estar presente una energía inusual, una fuerza vital que era diferente de la dulce energía del propio Steven.

No supe de inmediato qué hacer con esta situación y le dije francamente a la mamá de Steven que me sentía confusa. (El trabajo de sanación interdimensional es muy diferente de otros tipos de sanación. Cada persona tiene su propia historia, así que cada sesión es diferente y es un proceso de aprendizaje por derecho propio.) Dije a la mamá de Steven que me hacia falta algo más de tiempo para poner en orden toda la información que estaba recibiendo y comprender lo que veía. Trabajé con Steven durante varias semanas, observando el accesorio y tratando de sentir lo que estaba sucediendo. Por último, fui capaz de eliminar el accesorio. Después de haberlo hecho, Steven mejoró notablemente. Sus dolores de cabeza desaparecieron y su energía vital se normalizó. Los otros problemas que tenía desaparecieron también. Asombroso.

He notado que muchos de los hijos de las estrellas que presentan problemas suelen poseer accesorios anómalos y (o) obstrucciones dentro de sus sistemas de energía. Por supuesto, no todos los hijos de las estrellas los tienen, pero si padecen enfermedades no identificadas, es muy probable que exista la necesidad de mirar diferentes partes de la anatomía: ¡los aspectos etéreos!

Craig

Otros hijos de las estrellas están muy bien sintonizados con extraterrestres, o con visitantes de otros mundos. Durante los preparativos para una conferencia, se hicieron arreglos para que me recogiera en el aeropuerto la hija de uno de los otros presentadores. Cuando me recibió en el aeropuerto, su hijo estaba con ella. Lo llamaré Craig. Estaba sentado en el asiento trasero, en una sillita especial de seguridad para niños. Craig tenía 6 años, era de constitución ligera, tenía cabellos oscuros y grandes ojos castaños que denotaban su actitud de hiper-alerta y su inteligencia. Al principio, mi presencia lo intimidó porque su mamá me presentó como «la Dra. Meg». Comprendí que me había confundido con una doctora médica, ¡y que esto, a todas luces, lo asustaba!

El viaje duró alrededor de una hora y media, y al final Craig se soltó y empezó a contarme unos sueños que había tenido. Para mí, estos sueños parecían descripciones de experiencias clásicas de abducciones por alienígenas. Era sumamente consciente de otras presencias: incluso mientras viajamos en el coche, Craig nos dijo que «ellos» estaban volando en el cielo mientras estábamos conversando. La mamá de Craig miró hacia arriba y dijo que no podía ver nada. La respuesta de Craig, de franca impaciencia, fue que ella «no había mirado con suficiente rapidez». En ese momento comprendí que Craig estaba haciendo uso de su vista etérea y que, en realidad, veía de manera multidimensional. Cuando me sintonicé con él, pude verlos también. «Ellos», efectivamente, «estaban allí fuera».

Los hijos de las estrellas son seres asombrosos. No sólo son dotados intelectual y psíquicamente, sino que además reconocen la importancia de su vinculación espiritual con la Fuente y también con todo el resto de la creación. Comparten ideas espirituales comunes y disfrutan explorando los vínculos entre los aspectos físico, metafísico y espiritual del ser. Los hijos de las estrellas se ven con frecuencia abrumados por la necesidad inherente de ayudar a las personas a despertar su más elevado y mejor potencial. Los hijos de las estrellas desean también cambiar el mundo a mejor. Hacen lo posible por instaurar la paz por medio de su compasión y buenas obras. Trabajan para sanar la Tierra y pueden sentir las energías planetarias. Cuando alguien tiene deseos de escuchar, les encanta contarnos sobre nuestra familia entre las estrellas. Los hijos de las estrellas poseen inteligencia y comprensión universal que, en última instancia, han de traer a nuestro mundo nuevas y emocionantes tecnologías. Estas tecnologías serán simbióticas con nuestro planeta y van a contribuir a que se den grandes pasos para el confort de toda la humanidad.

Los hijos de las estrellas no son una curiosidad sino una parte normal de nuestro proceso evolutivo. Son la vanguardia de otros seres, aun más avanzados. Debemos dar a estos niños todo cuanto sea necesario para alimentar su enorme capacidad mental. Debemos proporcionarles los alimentos que necesitan para sostener sus frágiles cuerpos. Sobre todo, debemos comprender que las extrañas cosas de las que hablan no son fantasías sino, de hecho, son un indicio de una realidad mayor que algún día ha de ser parte de nuestra percepción consciente de cada día, de nuestra tecnología y de nuestra vida misma.

Lista de control para reconocer a los hijos de las estrellas

Capítulo 7

* Poseen una elevada inteligencia, con frecuencia, aunque no siempre, dotada en esferas científicas.
* Son sumamente sensibles en cuanto a su entorno.
* Poseen una alta sensibilidad hacia las energías y emociones de otros.
* Son físicamente más pequeños que muchos niños de su edad.
* Demuestran capacidades psíquicas mayores.
* Poseen la capacidad de dominar los campos de la energía sutil que se hallan dentro del cuerpo y alrededor de éste (bio-energética).
* Son capaces de utilizar las fuerzas terrestres y cósmicas para sanar.
* Son dotados en telepatía y comunicación intuitiva con otros y con la Consciencia de la Fuente.

* Suelen afectar ítems electrónicos o aparatos eléctricos causando su mal funcionamiento.
* Pueden comunicarse mentalmente (telepatía).
* Pueden predecir el futuro (precognición).
* Pueden mover objetos al cambiar su relación con la realidad (telequinesia).
* Pueden ver mentalmente cosas distantes en espacio o en tiempo (clarividencia/visión remota).
* Pueden «bajar» información desde realidades no locales.
* Poseen intuición penetrante (simplemente «conocen» cosas sin que les hayan sido dichas).
* Son capaces de influir en otros a distancia (por telepatía).
* Pueden saber sobre la salud, intenciones, motivaciones, etc. de otros «leyendo» los campos de energía alrededor de ellos.
* Son capaces de diagnosticar enfermedades o disfunciones dentro de los campos de energía de otros.
* Son capaces de realizar sanaciones psíquicas o bio-energéticas.
* Pueden desplazarse o mover objetos de un lugar a otro por esfuerzo mental (teletransportación).
* Pueden elevarse sobre el suelo, en desafío a la gravedad (levitación).
* Son capaces de trabajar fuera del tiempo, haciendo que los acontecimientos se produzcan con rapidez (o, por el contrario, que se produzcan con extrema lentitud).
* Son sensibles a terremotos inminentes y otros desastres.
* Poseen percepción consciente multidimensional.

* Son capaces de viajar «fuera del cuerpo» (pro-yección astral).
* Pueden abrir su conciencia y permitir que su ser etéreo hable por medio de ellos (canalización).
* Con frecuencia, poseen una conciencia compar-tida con un guía-visitante estelar.
* Obran en estrecha vinculación mental con los guías de su nación estelar y pueden invocarlos físicamente y conectarse con ellos, así como con otros guardianes.
* Poseen un fuerte sistema inmunitario (o, por el contrario, padecen extrañas enfermedades sin causa física evidente).
* Poseen una baja temperatura corporal basal.
* Tienen apariencia y personalidad dinámicas.
* Tienen una presencia dominante.
* Posteriormente en la vida parecen más jóvenes que las personas de su edad (al igual que los adultos «semillas de estrellas»).

Aspectos paralelos: los hijos de la Tierra y los niños de las estrellas

CAPÍTULO 8

Prefiero regresar a Atlántida. Fui feliz allí. Quiero regresar allá porque cuando estoy fuera de mi cuerpo físico, ¡soy libre! Puedo correr y puedo volar. ¡Puedo ser cualquier cosa, dondequiera que-desee!

WILLIAM, 11 AÑOS

Hay otros aspectos o partes de nosotros que residen en otros planos de realidad. Al igual que los pétalos de una flor, cada uno de nuestros aspectos es un poco diferente del siguiente, pero tomados en su conjunto crean un todo bello, complicado e infinito, que es lo que somos en la creación. Quita cualquiera de estos pétalos, y la flor pierde su equilibrio, algo le faltará. Un aspecto es también similar a nuestra sombra. Nuestra sombra está siempre con nosotros, pero su ubicación y apariencia dependen de la dirección y la cantidad de luz presente en cada momento dado. Nuestra sombra se mueve en armonía con nosotros, pero no es lo mismo que nuestro ser físico. Nuestra sombra puede ser más larga o más corta que nosotros, y a veces es más clara o más oscura, pero nos acompaña siempre. De modo similar, no todos nuestros aspectos son iguales, pero cada uno es vital para nosotros y para todos los demás aspectos. Cuando nuestros aspectos son funcionales y están correctamente alineados, trabajan con nosotros de manera armónica, pero están a cierta distancia de nosotros, en dependencia de la dimensión en que se encuentran.

Existe una parte de nuestra consciencia que tiene experiencias muy diferentes de las que tenemos en nuestra vida cotidiana, tridimensional, y estas experiencias afectan de modo directo a quién y qué somos en nuestra existencia terrenal. Estamos hechos de capas de campos de energía electromagnética constituidas por finas frecuencias, que poseen color, sonido y vibración. En su conjunto, estas frecuencias son las que nos hacen ser quiénes y qué somos. Cada conjunto de frecuencias crea un aspecto y determina en qué nivel ese aspecto va a vibrar, y la vibración establece en qué dimensión ese aspecto va a residir. Normalmente, no hay en nosotros dos aspectos que tengan conjuntos de frecuencias idénticos o casi idénticos. De hecho, cada capa, cada aspecto está en perfecta armonía con los aspectos que se hallan debajo y encima de él.

Desde una perspectiva universal, todos los acontecimientos, pasados, presentes y futuros, están ocurriendo en un mismo tiempo. Partes de nosotros experimentan vidas pasadas, o viven en otras galaxias u otros planos de realidad, mientras que otras partes de nosotros se preocupan por pagar la hipoteca o por lo que pudiera ocurrir mañana. ¡Existen otras partes de nosotros que ya están viviendo mañana!

Figura 6. Un ejemplo de armonización normal de aspectos.

Nuestros aspectos multidimensionales están forma-
dos de la misma manera. Cada aspecto que poseemos es
un conjunto armónico de frecuencias que se diferencia
un poco de un nivel a otro (*véase Figura 6*). La totalidad

de nuestros aspectos es aquello que somos, desde del punto de vista energético, armónico y en relación con todo el resto de la creación. Nos parecemos a una gigante cuerda musical que con un tono (aspecto) tras otro crea una vibración sonora que es sólo nuestra. Esta vibración sonora combinada es lo que hace que seamos armónicamente únicos, hasta el punto de que, de manera real, tenemos un lugar reservado dentro del tejido de la creación. Al armonizar dentro del contexto de la creación, *somos parte integral y contributiva de todo lo existente.* Nuestra composición armónica exclusiva dictamina cómo funcionamos, qué aspecto tenemos y dónde nos manifestamos como seres: sea aquí en la Tierra, en otro tiempo, en otro lugar o incluso en otro planeta. A veces, nuestra composición armónica dictamina incluso lo que experimentamos. En cierto modo, cada uno de nosotros, en sí mismo, es toda una «familia del alma», pero no es mi deseo adentrarme demasiado en esto ahora, porque este tema por sí solo podría llenar otro libro.

Hay muchos problemas que pueden surgir cuando nuestros aspectos no están alineados armónicamente. Por ejemplo, si un aspecto que reside en un plano de realidad cercano a la tercera dimensión está fuera de alineamiento o fuera de nuestra armonía, podríamos experimentar un sentimiento de desvinculación, sentirnos fuera de lugar, tener problemas de concentración o con la toma de decisiones, y en general, sentirnos muy aislados. Los efectos de la disfunción dependen del grado del mal alineamiento, y de las emociones o acontecimientos que han sido su causa radical (*véase Figura* 7). De modo similar, cuando los aspectos se vuelven demasiado similares desde el punto de vista armónico, puede ocurrir una disfunción en uno o más de ellos.

Figura 7. Un ejemplo de fragmentación entre aspectos.
Nótese que hay capas blancas allí donde los aspectos se han desplazado fuera
de su lugar. Esto causa vacíos en el sistema de comunicación energética.
Otros aspectos no están vinculados en absoluto, tales como el que está
en la esquina superior derecha.

El desequilibrio de los aspectos puede ocurrir por diversas causas. A veces nuestros aspectos pueden tener clases tan similares de experiencias que sus frecuencias armonizan de manera natural en un conjunto de frecuencias muy relacionadas entre sí. Cuando esto ocurre, todos los aspectos de esa persona suelen «re-armonizarse» de modo similar al que haya cambiado. Si la experiencia de la re-armonización es positiva, las frecuencias de todos los aspectos elevarán su vibración, y todos los niveles funcionarán juntos razonablemente bien.

Otras veces, uno o más de nuestros aspectos puede apartarse fragmentando nuestra estructura armónica. Esto suele ocurrir durante períodos de grandes traumas o en situaciones donde las personas se ven incapaces de hacer frente lo que les está ocurriendo. Esto puede ser resultado de un abuso físico o emocional, o cuando a la persona se le maltrata en situaciones traumáticas. En ausencia de dotes para enfrentarse, la víctima interioriza sus sentimientos en pequeños y ordenados compartimientos donde los «encierra» desde el punto de vista energético.

Luego, los compartimientos energéticos se separan del principal sistema energético y dejan de cooperar armónicamente con los otros aspectos. Cuando se produce una fragmentación, surgen vacíos en la organización armónica. Esto es muy parecido a una escalera a la que le faltan algunos de sus escalones: para trepar por una escalera así hay que hacerlo a pasos muy grandes a causa de los escalones faltantes. En tales momentos nuestros aspectos comienzan a comunicarse de un modo similar; después de cierto tiempo, los aspectos funcionales empiezan a abandonar los que han sido aislados, y con frecuencia se deshacen por entero de ellos. Debido a que una parte de la «escalera» es inaccesible, una comunicación plena entre todos los aspectos llega a ser imposible.

Cuando hay fragmentación, la manifestación terrenal (nosotros) empieza a mostrar síntomas de disfunción: nos volvemos indecisos e incapaces de concentrar la atención, y nuestros estados anímicos varían de manera inadvertida. A veces, nuestra energía física lo hace también. Nos sentimos estancados, como si ya no hubiera en nuestra vida ningún movimiento hacia adelante, y tal vez incluso nos sentimos perdidos, como si no tuviéramos un mapa de caminos que nos guíe por la vida. Cuando estamos fragmentados, el hecho es que, realmente, *nos falta* nuestro mapa de caminos. La única manera de reparar esto consiste en hallar los aspectos faltantes o recalcitrantes y asimilarlos a la armonía con el todo. Etéreamente, esto se parece a la muñequita *«matrioshka»* rusa, que se compone de varias que se introducen una dentro de otra, de menor a mayor. Cuando asimilamos aspectos, los estamos re-armonizando esencialmente en una unidad funcional. A veces a este proceso lo califican de «recuperación del alma», como si los aspectos faltantes fuesen fragmentos de un alma que se hubiese partido.

Aspectos paralelos se producen cuando dos aspectos diferentes de una misma persona se vuelven armónicamente casi idénticos en dos diferentes tiempos y lugares. Los aspectos paralelos son multidimensionales y, sin embargo, tienen frecuencias tan similares que cada una posee percepción consciente de la otra. ¡Imaginaos vivir dos vidas a la vez y tener percepción consciente de ambas experiencias! Es casi como si dos personas vivieran en un mismo cuerpo (*véase Figura 8*). Los aspectos paralelos pueden contribuir mucho al intelecto, a la memoria consciente, la intuición, la percepción extrasensorial y la percepción consciente multidimensional. Contribuyen asimismo a las memorias de las vidas pasadas. Y hablando de la profundidad de carácter: ¡un niño con aspectos paralelos está siempre lleno de sorpresas!

Tener aspectos paralelos puede contribuir también a una gran disfunción física. Existe una ley universal que dictamina claramente que no pueden existir dos conjuntos de frecuencias idénticos en un mismo tiempo de la creación, así que cuando los aspectos paralelos armonizan de un modo excesivamente estrecho, una parte de armonización de uno de los dos se quiebra. Esto ocurre, por último, en un nivel físico, ya que nuestra estructura física es más densa que cualquier otra parte de nuestra composición y, por lo tanto, es la más lenta en responder a los cambios en el sistema energético. Cuál sistema biológico se ve afectado, depende de dónde se produce la duplicación armónica.

Cuando los aspectos se vuelven paralelos se produce un fenómeno interesante. Ninguno de los aspectos paralelos puede existir normalmente. Por ley universal, uno de los aspectos ha de predominar sobre el otro. El aspecto que no suele estar presente en la tercera dimensión consiste en una forma de consciencia que, de manera indirecta, está siempre presente y vive indirectamente en el cuerpo tridimensional. Tanto el cuerpo como la consciencia tridimensionales son capaces de experimentar libremente todo cuanto experimenta el aspecto paralelo. En esencia, dentro de la persona existen dos conjuntos de consciencia que funcionan como uno solo.

He hallado que determinados subgrupos de los niños de las estrellas y niños cristal poseen aspectos paralelos que son todos de origen intergaláctico. (Todos los niños que conozco pertenecientes a esta categoría tienen en

Figura 8. Aspectos paralelos: dos aspectos del yo que han armonizado hasta tener frecuencias casi idénticas, causando disfunción en ambos aspectos.

estos momentos entre 10 y 12 años, la mayoría, 11.) En otras palabras, un aspecto acostumbrado a vivir en otro planeta, muchas veces, en un universo paralelo o en otro tiempo y espacio, armoniza de modo tan estrecho con el yo terrenal que ambos entran en conflicto. El aspecto intergaláctico, por ser mucho más evolucionado y capaz de usar su conciencia hasta el punto de poder regir sobre la realidad, suele armonizar por lo general con el aspecto tridimensional. En la mayoría de las veces, lo hace por razones de supervivencia.

Los niños que muestran aspectos paralelos suelen tener grandes discapacidades físicas. El tipo de disfunción varía, pero en la experiencia de esos niños y sus familias hay rasgos comunes. Casi todos los niños de esta categoría no hablan o no pueden hablar. Son en sumo grado telepáticos y, a través del tiempo y el espacio llegan a aquellos que pueden ayudarles. Muchos de estos niños se desplazan y se comunican en forma de orbes. Exhiben asimismo dotes fantásticas de percepción intuitiva, percepción consciente multidimensional y telepatía. ¡Algunos incluso son capaces de teletransportación! La parte positiva de los aspectos paralelos es que, incluso a pesar de que estos niños existan en un cuerpo físico disfuncional, son capaces de viajar a través del tiempo y el espacio, así que casi siempre se sienten libres por completo. También, como he dicho antes, el aspecto paralelo aporta una mayor inteligencia y un sentimiento de vinculación universal que pocas veces se observa en la mayoría de seres humanos. Estos pequeños son Maestros sobre la Tierra.

Para reparar una situación de aspectos paralelos hay que ser muy cuidadoso y atento. Los aspectos paralelos no se pueden asimilar o unir simplemente como uno solo, porque casi se cancelarían. Sin embargo, es posible llevar a cabo una especie de sinergia entre los aspectos. Para hacerlo, es preciso hacer que los dos aspectos lleguen a armonizar entre ellos para que sean capaces de trabajar juntos de una manera limpia y sin tropiezos y, sin embargo, seguir siendo individuos. La armonización se parece mucho a una cuerda musical que, debido a su combinación de notas, crea un tercer conjunto de frecuencias llamado armónico, o sea, que implica armonía. Éste actúa como un puente para cerrar el vacío entre los dos aspectos, permitiendo una comunicación entre ellos y todos los demás aspectos del niño. La armonización sinergética es muy diferente de la asimilación, la cual se produce cuando los aspectos simplemente armonizan como individuos.

Existe todo un grupo de niños que poseen aspectos paralelos. Los llamo los bellos silentes. A pesar de diversas disfunciones y dificultades físicas que con frecuencia provienen de la posesión de aspectos paralelos, estos niños son Maestros telepáticos, intuitivos y espirituales que tienen mucho que compartir con nuestro mundo. Lo que es de veras asombroso: en su mayoría tienen ahora 11 años. El género no interviene en este fenómeno, ya que tanto niños como niñas me han contactado por diversas vías. Esto se hace siempre de modo telepático, y a veces involucrando a sus padres como «voceros» que me llaman por teléfono, me envían un e-mail o me presentan al niño en persona. ¡Por lo general, los padres no han oído de mí hasta que el niño les pide que me contacten!

Cada niño que ha venido se ha identificado como uno de los orbes. ¡Imaginaos, estos orbes de consciencia que se han unido a mi campo de energía tienen todos nombres, rostros y personalidades, de hecho son verdaderos niños y Maestros, cada uno por derecho propio!

Nuestros bellos silentes

Capítulo 9

La parte más dura para los padres y también para otras personas es aceptar el hecho de que nuestra hija tiene aspecto de estar desbaratada y la idea de que sea preciso repararla. Debemos comprender que se trata de un ser asombrosamente dotado tal y como es… Que toda ella exuda sólo puro amor.

Karen, la madre de Lorrin

Cuando los niños empezaron a contactarme en forma de orbes, pensé que era producto de mi imaginación. Pero cuando me contactaron directamente por telepatía, a través de sus padres o por medio de apariciones personales, tuve que comprender que este fenómeno es, sin duda, real.

Dentro del grupo de niños que se comunican por telepatía, hay un pequeño grupo que opté por llamar los bellos silentes.

Son niños asombrosos que, a primera vista, parecen ser bastante imperfectos, de hecho no funcionales, al menos por fuera. Pero estos niños llevan dentro una belleza que muchas veces es sobrecogedora en su mensaje, y su verdad expande corazones. Nuestros bellos silentes pueden ser niños cristal o niños de las estrellas; pueden ser combinaciones de muchos de los diferentes patrones energéticos evolutivos. Aunque tal vez no. He llegado a la conclusión de que estos niños particulares son la avanzada de la nueva evolución de la humanidad. Se han desplazado hacia una existencia casi puramente consciente mientras permanecen presentes en nuestro mundo físico, aunque con evidente disfunción. Su sabiduría y pureza de corazón van mucho más allá de la percepción humana general. Hablan cual si Dios hablara a través de ellos y ellos interpretaran sus palabras para el mundo.

Por lo general, la sociedad nos ha acostumbrado a pensar que a las personas de capacidades diferentes hay que evitarlas. Les volvemos las espaldas con horror porque no queremos contraer algo de lo que pudieran tener. Miramos hacia otro lado como para evitar que nos molesten.

Veamos.

El mero hecho de que una persona está en un cuerpo que no funciona bien no significa que su consciencia no sea vital y perceptiva. Si os fuerais a encontrar siempre con niños como los de este libro, nunca más volveríais a mirar de la misma manera que antes a una persona aparentemente discapacitada. ¡Tenemos que prestarles atención!

Nuestros bellos silentes son asombrosos. No parecen conocer o ser capaces de mucho, pero una vez que penetramos más allá de las apariencias externas, lo que encontramos son seres perfectamente funcionales que tienen mucho que ofrecer al mundo. Su consciencia se pasea, libre, más allá de su cuerpo físico, por toda la realidad. Viajan a otros tiempos y espacios, y lo hacen con un sentido del humor que nunca deja de asombrar. Se comunican por telepatía, y lo hacen con toda facilidad. Personas que han estado junto a estos niños pueden dar testimonio de algunos sucesos asombrosos, como veremos más adelante. Pueden enseñar el amor puro y absoluto por el mero hecho de existir. Y no piden nada a cambio. Aunque puedan parecer un reto para sus familiares y cuidadores, estos silentes son un gran regalo para nuestro mundo. Los bellos silentes padecen afecciones físicas por causas diferentes: mutación genética, traumas de la cabeza o del cerebro, reacciones a vacunas o problemas congénitos, por mencionar algunas. Aunque cada niño es decididamente diferente en cuanto a las razones de por qué es así, este magnífico grupo de niños comparte algunos rasgos asombrosos.

Más sobre William

Antes prometí que volvería a hablar de William. Fue el primero de los niños que proyectó su consciencia en forma de orbe para comunicarse conmigo y que se mostró como una criatura humana muy real. Cuando comencé a trabajar con William por primera vez, supe que algo extraño estaba sucediendo. Cuando eché una mirada a sus campos etéreos de energía, vi a dos William. Durante cierto tiempo, William se había tratado con una talentosa sanadora, y ella había descubierto lo mismo y había denominado el duplicado de William su «llama gemela». (Una llama gemela es otro ser que proviene de exactamente la misma expresión energética original. De manera usual, vienen en forma de una coincidencia perfecta, donde dos personas sienten en realidad como si formaran un todo único. ¡Es el amor perfecto!) Yo nunca había visto o considerado a una llama gemela como duplicado de una persona, así que mientras observaba y esperaba instrucciones, recibí la información de que se trataba de un aspecto paralelo. Este aspecto paralelo era de naturaza intergaláctica. O sea, que existía otra parte de William que vivía en otro tiempo sobre otro planeta. Sí, esto es muy extraño, y sin embargo es cierto. (Es importante señalar que no todos los bellos silentes poseen aspectos paralelos. No quiero que todos piensen que el mero hecho de que un niño tenga limitaciones físicas signifique que esté fuera de la alineación multidimencional.) William fue el primero de varios que manifestaban este fenómeno. Con tiempo, y con la ayuda de William, fuimos capaces de reparar este fenómeno creando un puente armónico que permitió a sus dos aspectos funcionar individualmente aunque con armonía entre ellos, de modo que ninguno interfiriera con el otro. A partir de entonces, William ha empezado a mejorar con rapidez.

William es uno de los bellos silentes. En estos momentos tiene 11 años, no habla y tiene problemas espaciales y de coordinación que se deben a sus limitaciones físicas. A pesar de esto, es un niño brillante. Está haciendo en casa sus estudios escolares y ya ha sobrepasado a su mamá en matemáticas. ¡Ella se pregunta cómo podrá mantenerse a su paso cuando progrese! William y yo trabajamos juntos en muchas ocasiones y, asombrosamente, su campo de energía está evolucionando a gran velocidad. Cuando empecé a trabajar con él, el campo de William era típico de un cristalino, con profundos tonos de piedras preciosas en todos los colores de arco iris. Debido a su aspecto paralelo, el campo ha tenido interferencias, causando que los patrones de movimiento de energía se extendieran de una manera irregular. Cada vez que llegábamos juntos a una sesión, hallaba que el campo energético de William se había vuelto más refinado. Ahora que escribo esto, su campo de energía es tan puro, tan perfecto, que está en sintonía con todo y con todos.

Algunos de estos niños son tan extremadamente sensibles que desarrollan idiosincrasias que pueden parecer extrañas, pero que son en sumo grado importantes para su confort e, incluso, para su supervivencia. William es tan sensible que no puede soportar que le pongan calzado y, la mayoría del tiempo, ni tan siquiera ropa. ¡Esto puede ser exasperante para su familia y las personas que visitan su casa! Por último, se ha ido acostumbrando a la ropa, pero no puede en modo alguno soportar el uso de zapatos. Esto se debe a que la fuerza de energía que se mueve dentro de su cuerpo es tan poderosa que puede ser físicamente desagradable cuando sale a través de sus pies. Si usa zapatos, los pies se le calentarán en realidad y se sentirá desquilibrado. Cuando William puede sentir la tierra bajo sus pies, le resulta más fácil estar presente en nuestro mundo de una manera conscientemente perceptiva. La mamá de William se refiere a sus rarezas con sentido del humor. De William se sabe que las luces de las calles se apagan cuando pasa debajo de ellas, y que crea otras anomalías eléctricas, tales como fallos energéticos en edificios. Aunque la mamá de William se exaspera a veces con él, lo que es muy comprensible, ha aprendido a encontrar en sus extrañezas una fuente de humor, y le apoya maravillosamente y por completo.

Desde la primera vez cuando William se me mostró como un orbe, entre las sesiones nos comunicamos por telepatía de manera regular. Se me presenta en la mente en los momentos más inesperados, y a veces esto puede conducir a resultados humorísticos. Hace poco estuve en un estudio de grabaciones en la ciudad de Nueva York, trabajando sobre un nuevo CD de meditación para niños, para ayudarles a no pensar en sus problemas, preocupaciones y miedos y hallar sentimientos positivos para poder compartirlos de modo abierto. La meditación lleva a los niños a un viaje interior de descubrimientos que les hace abrir pequeñas cajas, cada una con un contenido específico.

Mientras grababa una parte específica, animaba a los niños a llenar su «caja de imaginación» con todo lo que quisieran (esta caja está vacía porque la imaginación no tiene límites). Por ser una persona visual en extremo, estaba viendo y experimentando de manera literal lo que pedía que hicieran los niños. De pronto, y con un sentimiento familiar, mi realidad se alteró y, de buenas a primeras, la caja de mi visión se llenó de ranas toro que empezaron a salir llenando toda la estancia y alejándose dando saltos. Supe que William estaba invadiendo de nuevo mi realidad. Me eché a reír al darme cuenta de lo que estaba sucediendo. De hecho, dejé aquella parte en el CD porque lo hacía más divertido para el oyente.

Cuando William se siente dispuesto para más trabajo de sanación, me contacta por medio de telepatía. Su mamá suele desconcertarse cuando me envía un e-mail para solicitarme una cita que ya tengo anotada. Pero tiene buen espíritu deportivo y no hay necesidad de decir que nos reímos mucho. Debido a que todas nuestras sesiones son a larga distancia, cuando trabajo con William le pido que se comunique conmigo etéreamente. Esto es posible porque posee dotes multidimensionales. Cuando William asiste a ellas, las sesiones dan un gran resultado. En el trabajo con él hay también un aspecto muy humorístico. Hace poco tiempo, mientras me acercaba al final de una sesión de sanación con William, mi «conexión» se vio cortada y mi mente se llenó de visiones: pequeñas películas sobre payasos. ¡Multitudes de payasos! Los payasos, obedientes a William, hacían muecas y tonterías. Tuve que reírme. A todas luces, William había decidido que ya habíamos logrado lo que nos habíamos propuesto. Le respondí por telepatía que yo sabía que habíamos terminado. ¡Está bien, está bien, William, lo he comprendido!

En otra ocasión, al terminar una sesión, mi realidad se alteró y vi toda una multitud de personas de aspecto raro que parecían estar a bordo de una nave espacial que no se diferenciaba gran cosa del puente de la «Starship Enterprise» en *Star Trek*. La que estaba viendo en mi mente estaba algo más maltrecha. Había un hombre muy alto que parecía ser el jefe. Después de la sesión, cuando telefoneé a la mamá de William, le pregunté si el niño había mostrado un interés especial por las películas de *Star Trek*. Lo que me dijo fue asombroso. Respondió: «Oh, ¿te refieres al tío altísimo? Es el mejor amigo de William, Ooloo. Ha visitado a mi hermana con Ooloo montones de veces».

William suele visitar a su tía del mismo modo que a mí. Contacta también a las personas con las que le gustaría trabajar o encontrarse y les advierte de su llegada. Su telepatía no se limita a mí y aumenta de manera continua, así como la red de personas que pueden escucharlo se amplía todo el tiempo. William me remite también a otros niños. Les indica cuándo están preparados para el trabajo que hago. La orientación que da a otros niños tiene mucho que ver con el estado de evolución de sus campos de energía. Si aún no están lo bastante refinados, William les dice que esperen. Cuando llega a determinado estado evolutivo, me los envía.

En un aspecto más serio, como parte de su sanación, William y yo hemos hecho «viajes» juntos a su pasado, e incluso a la vida de algunos de sus otros aspectos. Existen razones para esto. Cuando vivimos nuestras vidas, la actual y las anteriores, intercambiamos energía de modo constante con otras personas, otros lugares e incluso acontecimientos. Cada vez que nos desplazamos a una nueva experiencia vital, llevamos con nosotros lo que hemos sido y hecho hasta entonces. A veces alguna parte de esta energía es disfuncional o está dañada. William decidió que necesitaba regresar a Atlántida. No dio explicación alguna del porqué; se limito a decir que era importante. Pidió a su mamá que se pusiera de acuerdo conmigo para que le ayudara a regresar allá. En tiempo acordado, así lo hicimos. William estaba muy familiarizado con el mapa de Atlántida y me llevó a lugares que jamás había visto en mis propios viajes de consciencia. Pronto se me hizo evidente que William había terminado su vida allí con algunos asuntos inacabados, que completó en nuestra excursión. Fue un momento de gran fuerza y emoción, verlo completar la tarea que llevaba vidas esperando por terminar.

Durante esta excursión tan particular, después de haber cumplido nuestro objetivo principal, tuvimos oportunidad de jugar durante un rato. Nos vimos en un campo junto a un río, con flores silvestres brotando por doquier. Se sentía como al inicio de la primavera. William se puso a corretear por el campo (¡lo cual era bello, ya que en este mundo hasta caminar es, para él, un gran reto!). Estaba lleno de júbilo, haciéndome burlas sobre cómo le seguía los pasos y recordándome que no había razón para que no pudiera hacerlo ya que no estaba dentro de mi cuerpo. Llegamos a una casita en el extremo más alejado del campo. De buenas a primeras, ya estábamos dentro de una pequeña habitación. William estaba mirando hacia abajo con una expresión de pura reverencia y amor en los ojos. Al seguir su mirada, vi a una mujer con una criatura en los brazos. Me sentí más que conmovida cuando William me presentó a su llama gemela, su amor eterno que, en ese lugar y espacio, acababa de nacer. Era una niñita encantadora con unos ojos azules niños cristal, soñadoramente alertas, que parecían poseer la sabiduría de todos los tiempos. William tocó con mucha dulzura su diminuta mano y pude ver que toda la energía de su corazón se fundía, amorosa, con la de ella. Desde luego, lloré. Era más que bello. ¡Imaginaos ser capaces de hallar vuestro eterno amor en cualquier momento, y en otro tiempo y espacio!

«Allí afuera» las discapacidades de William no existen. Es capaz por completo y muy emocionado de sentirse libre de su cuerpo físico, restrictivo y disfuncional. Jugar con William etéreamente es divertido. El hecho de que viajamos de esta manera es asombroso sobre todo porque él vive en California, mientras que yo suelo vivir en Tennesee. Podemos oírnos uno al otro como si estuviéramos en una misma habitación. Hemos emprendido juntos varios viajes, y nunca dejo de asombrarme de que esto sea posible. Pero lo es y, con práctica, se vuelve cada vez más fácil.

Otros niños se han manifestado de la misma manera. Para mí, ha sido una experiencia muy compleja. Cuando empezó por primera vez, cuestioné de modo decidido lo que estaba percibiendo. ¡La gente normal, en su mayoría, no anda por ahí comunicándose con orbes invisibles y vinculándolos a personas reales! Pero es muy real, y sigue sucediendo. William fue tan sólo el primero. No fue un juego de imaginación o locura temporal, no, todo lo contrario. Los orbes continúan apareciendo y se comunican, y a medida que el tiempo pasa, me doy cuenta de que un número cada vez mayor de ellos poseen rostros, nombres y familias. Cada día es un viaje asombroso, y he recibido bastantes confirmaciones, que incluso involucraban a padres y otras personas, que han corroborado mis experiencias de que la realidad de estas comunicaciones es incuestionable. Algunos de los padres me han dicho que nunca habían oído hablar de mí antes de que sus hijos hubiesen promovido el contacto entre nosotros. ¡Todos comprendimos en seguida el porqué!

Lorrin

En una ocasión estuve en Scottdale, Arizona, para asistir a una conferencia de *Celebrate Your Life*. Estaba conversando con alguien, de espaldas a la habitación. De repente, muy similar a lo que me había sucedido con William, mi percepción consciente cambió por completo y perdí del todo el hilo de la conversación. Al mismo tiempo, escuché estas palabras: «¡Hola, lo he hecho!» Me rodeaban cerca de 2 000 personas, pero tuve una idea bastante buena de lo que iba a ver al darme vuelta. Allí estaba una niña encantadora, de unos 11 años, con cabello rojizo, ondeado y rebelde, enormes ojos azules y de una belleza arrebatadora. Daba la impresión de estar, al menos respecto a su cuerpo, severamente discapacitada. ¡Pero yo sabía más cosas!

Lorrin estaba en una silla de ruedas, apenas capaz de mover sus manos o piernas. Su cabeza se inclinaba hacia un lado y, a primera vista, parecía estar inconsciente por

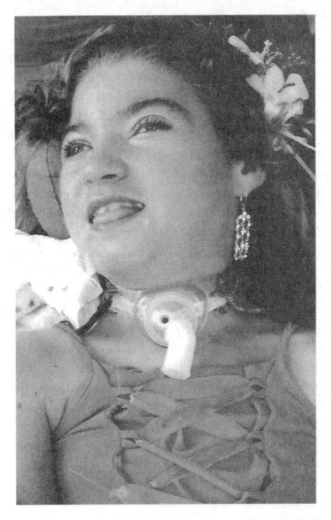

Figura 9. Lorrin

completo a lo que la rodeaba. Al aproximarme la miré en
los ojos y pude ver que Lorrin estaba, de hecho, muy presente, muy conscientemente perceptiva y atrapada tan
sólo por su físico. Le pedí permiso y la toqué con suavi-

dad. Para mí, su campo de energía era cual si flotara en un mar de amor. Le pregunté si era una de las niñas que habían estado hablándome desde hacía un rato. Sus cejas se levantaron («¡Sí!»). Ya me lo creía. Lorrin y yo charlamos por telepatía durante un rato. Mientras conversábamos, su mamá, Karen, y yo nos reímos sobre la situación de cómo su hija y yo lo hacíamos. La mamá era magnífica. Conversar con Lorrin y su mamá era puro placer. Interactuamos durante unos 15 o 20 minutos hasta que un torrente de personas apresuradas llenó los pasillos en su camino a las próximas conferencias del programa. Lorrin y su mamá fueron también a asistir a una conferencia.

Aquella noche, cuando dormía, mis sueños se interrumpieron de pronto y me desperté. Al sentarme, mi mente se llenó de imágenes de Lorrin. Al principio pensé que seguía soñando, pero al darme cuenta de que estaba sentada y despierta por completo, supe que Lorrin se estaba comunicando conmigo. Lo asombroso del viajar fuera del cuerpo es que el tiempo o el espacio no existen, así que, ¿acaso podía importarle a Lorrin el hecho de que fuera de madrugada? Su cantante favorita es LeAnn Rimes, y su mayor deseo es danzar con alegría, como una bailarina, fuera de su restrictivo cuerpo. Bien despierta ahora, asistí al espectáculo de Lorrin con los ojos de mi mente en el sentido literal. Lorrin llenó mi mente con imágenes de sus danzas. Llevaba zapatillas de ballet y se mantenía en las puntas de los pies, moviéndose con gracia, con los brazos en alto, cual si fueran ingrávidas alas y abarcando todo el espacio alrededor de ella con sus giros y saltos. En sus visiones, Lorrin me envió adonde había espejos por doquier, y en cualquier dirección que mirara veía infinitos reflejos de su bello ser volando, sin tropiezos. Me reí en voz alta y adoré cada minuto de su tierno recital. ¡He aquí otra espléndida criatura con sentido del humor! Cuando Lorrin y su mamá llegaron al día siguiente, bromeé con la niña sobre su visita nocturna. Arqueó las cejas («¡Sí!») y sonrió. Durante todo el resto del fin de semana, mientras me dedicaba a mis asuntos, unos mensajes telepáticos me interrumpían a cada rato para anunciarme que debía «ir allá» o «ir acullá». Cada vez que actué, de manera espontánea, obedeciendo estos mandatos, ¿con quién creen que me encontré? ¡Con Lorrin! Esto se convirtió, de hecho, en una broma entre la mamá de mi amiguita y yo. Pasmos juntas un tiempo maravilloso.

En una conversación posterior con Karen, la mamá de Lorrin, hablamos sobre las dotes de la niña y de cómo atrae a la gente. Irradia un amor absoluto y es encantadora a pesar de toda su discapacidad. Karen dijo que la parte más dura de ser padre o madre de una criatura tan asombrosamente dotada es superar la idea de ver a su niña como defectuosa y necesitada de reparación. Después de todo, es tan sólo la apariencia externa, el funcionamiento físico, lo que está afectado. El interior está muy bien, siempre y cuando las personas lo puedan percibir.

Más tarde, Karen me describió algunos de los efectos extraordinarios que Lorrin produce en todos cuantos la conocen. Por ejemplo, tres personas diferentes dejaron de fumar de modo espontáneo y con éxito inmediatamente después de encontrarse con ella. Ninguno había intentado abandonar este vicio antes de conocerla. Lorrin parece tener capacidades inherentes para comunicarse con algunas personas y provocar en ellas determinados tipos de sanación.

Los niños como Lorrin son una gran lección para todos nosotros. Con frecuencia, cuando nos encontramos con personas y circunstancias que no caben dentro del concepto de lo «normal», nos movemos por reflejo hacia la repulsión o el miedo porque la sociedad nos ha enseñado a sentir que lo diferente es atemorizador. No siempre ni por necesidad tenemos las aptitudes que se precisan para estar cómodos y a gusto en tales situaciones. Las dotes de nuestros niños especiales van más allá de toda medida. ¡No perdamos la oportunidad!

Brian

(Nota de la autora: esta historia, sin lugar a dudas, ha de ser un reto al sentido de la realidad del lector, y tanto más porque es muy inusual. Lo he incluido aquí debido a su extrema diferencia. ¡Los Niños de Ahora jamás dejarán de retar nuestro sentido de realidad!)

El carácter único de los Niños de Ahora se extiende a través de tiempo y espacio, hacia realidades que no son familiares a la mayoría de nosotros. Esta capacidad de cruzar tiempo y espacio sin obstáculos es, sin embargo, muy real, y es una experiencia fascinante. Requiere abandonar todo aquello en que pensamos acerca de la percepción y de la realidad, y en esto no hay nada malo. Tenemos mucho que aprender de nuestros bellos silentes.

Varias semanas después de conocer a Lorrin y Karen en Arizona, fui a Minnesota para asistir a una reunión privada de poderosos trabajadores de la luz. Todo el viaje, desde el inicio, fue mágico. Nuestra anfitriona, Nancy, me envió un e-mail para preguntarme si podía participar en una ceremonia privada junto al lago Itaska, donde nace el río Mississipi. El momento era perfecto, ya que fue inmediatamente posterior a que el huracán Katrina devastara la Costa del Golfo. Nancy reservó vuelos para mi esposo y para mí, y allá fuimos. No había conocido a Nancy antes de recibir su e-mail, y supuse simplemente que me había contactado a través de la lista de mi boletín, al igual que la mayoría de personas que me enviaban correos electrónicos. Pura orientación interna me llevó hacia allá.

A la mañana siguiente a nuestra llegada escuché como alguien preguntaba a Nancy cómo había logrado reunir a un grupo de gente tan estelar, y Nancy dijo, en lo fundamental, que su trabajo consistía en reunir a la «familia». Explicó que su idea sobre la reunión del fin de semana era que se dedicara a la sanación y la regeneración, de modo que todos nosotros pudiéramos regresar a nuestro mundo sintiéndonos refrescados y descansados lo suficientemente para compartir nuestros dones. Cuando los demás empezaron a reunirse para el desayuno, me acerqué a Nancy y le pregunté si estaba en la lista de mi boletín. No estaba. Entonces me sentí curiosa de veras. Su intuición la impulsó a contactarme, según me dijo. Sin embargo, sentí que habría algo más. No estaba segura hacia dónde iba todo ello, así que lo dejé donde estaba.

Durante años me había expresado, por escrito y oralmente en lo que denomino el lenguaje de la luz. Es un lenguaje conceptual que es muy poderoso para sanar y enseñar ya que es pura energía. El lenguaje de la luz se compone de símbolos vivientes que contienen enseñanzas enteras en muchos niveles. A veces me he sorprendido a mi misma pensando en este lenguaje. Había sentido con frecuencia que estaba un poco sola en esta capacidad. Sin embargo, años después, encontré a otros que se expresaban con fluidez en el mismo lenguaje. Recientemente, me he encontrado con otras personas que también han empezado a recibir este don.

Aquella mañana durante el desayuno conocí al Jefe Golden Eagle (conocido también como Standing Elk) de la Nación Sioux de Lakota, y a su bella esposa, María. Golden Eagle y yo simpatizamos de inmediato al enfrascarnos en una conversación que, en última instancia (y de manera perfecta) nos condujo a símbolos. Mientras hablábamos, se hizo evidente que el jefe estaba muy familiarizado con ellos. Le pregunté, emocionada: «¿Usted también comprende los símbolos?»

Sin una sola palabra, se levantó de la silla y salió hacia su camioneta; al regresar, me dio toda una libreta de notas llena de los mismísimos símbolos con que yo había trabajado durante años. Encendí mi ordenador y empecé a enseñarle un conjunto de tarjetas que había diseñado, por supuesto, con símbolos. ¡Nos sentimos inmensamente emocionados por habernos encontrado! Hablamos mucho sobre nuestras traducciones y sobre las diferencias en la ubicación o dirección que varían el significado de los símbolos. (Una referencia a los símbolos vivientes se puede hallar en los códigos Nag Hammadi en el Evangelio de la Verdad. Estos antiguos documentos, descubiertos en 1940, fueron encontrados en vasijas de barro en una caverna en Nag Hammadi a orilla del Mar Rojo. Con toda evidencia, formaban parte de la Biblioteca Gnóstica que había sido considerada herética en aquel entonces y había permanecido oculta durante más de 2 000 años.)

Al día siguiente, Bennie LeBeau (también conocido como Blue Thunder), otro ser espiritual bello y de buen corazón, nos mostró otras piezas del enigma. (Bennie es de la Nación Shoshone y pasa la mayoría de su tiempo llevando a cabo ceremonias basadas en formaciones de rejillas y lugares sagrados para curar la Tierra. Al reconectar las rejillas sagradas, Bennie sana también el agua. Las fuentes secas desde hace mucho tiempo recobran vida, y el flujo de agua continúa durante mucho tiempo después de que Bennie se haya marchado. Donde sólo había sequía, vuelve a abundar la lluvia y la humedad.) Bennie y yo entablamos una conversación, y muy pronto el tema se desvió hacia los símbolos. No era sorprendente que Bennie los conociera también. En algún momento durante nuestra conversación el jefe se nos unió, y Nancy estaba de pie, como telón de fondo, con una bien merecida sonrisa de autosatisfacción en el rostro. Con gran celeridad, se iba aclarando por qué algunos de nosotros estábamos reunidos allí.

Comencé a hablarles a Bennie y al jefe sobre William y sobre cómo se comunicaba conmigo por telepatía, y sobre algunos otros niños que se habían puesto en contacto conmigo. William me había dicho que conocía también los símbolos, así que destaqué mis experiencias con él en la conversación con Golden Eagle y Bennie. Nancy oyó lo que estaba diciendo de William, que podía hablar de una manera no física, se me acercó apresuradamente y me tomó por un brazo. Hablaba con tanta rapidez que me costaba trabajo comprender lo que estaba diciendo. «Tenéis que venir conmigo y ver esto. Yo creía que quien lo había hecho era una criatura realmente inteligente, pero ahora lo comprendo. ¡Mirad! Lo compré en una exposición de artesanía. El abuelo del niño era el dueño del quiosco.» Nancy estaba muy excitada. «El abuelo dijo que el niño aún no hablaba y que todo lo que hacía era trazar estos símbolos. El abuelito no dijo mucho más; parecía que lo incomodaba hablar sobre su nieto. Supuse que el niño era demasiado pequeño, y ahora comprendo que quizás entendí mal lo que quería decir el abuelo.»

Con esto, Nancy se dirigió a un rincón de su estante de cocina y sacó un objeto de artesanía asombroso. Había sido moldeado como un platillo y tenía símbolos que formaban círculos concéntricos alrededor de los bordes, diferentes conjuntos, cada uno dentro del anterior, y en el centro una parte decorada con un dibujo en espiral. En cuanto vi el platillo, la consciencia de orbe de los niños en mi campo empezó a parlotear con gran agitación. Los orbes estaban muy excitados. Me dijeron que este niño se había perdido y que debíamos ayudarle. ¡La vida se vuelve cada vez más extraña y emocionante!

Desde luego, lo inmediato que teníamos que hacer era ponernos en contacto con el artesano que había hecho el platillo y hablar con él. Puesto que el platillo había sido comprado por casualidad en una feria de artesanía, no teníamos la menor idea de cómo encontrar a la familia, así que había que hacerlo por telepatía. Aunque los niños sabían muy bien ponerse en contacto conmigo, yo aún era novicia en todo esto. No estaba segura de cómo lo íbamos a hacer, pero de todos modos, lo que sucedió fue asombroso. Sentamos un espacio donde todos podían reunirse. Con el platillo en las manos, abrí mi mente y, de pronto, la información empezó a fluir hacia el cerebro. El artesano del platillo llegó a mi campo en forma de orbe y me habló. Lo llamaremos Brian. Escuché con atención lo que Brian decía y compartí sus palabras con todos los demás del grupo.

Preguntamos a Brian por qué había confeccionado esta pieza en particular. Respondió que la había hecho porque sabía que algún día la persona indicada lo vería, reconocería el mensaje y se pondría en contacto con él, ¡y esto es lo que acababa de suceder! (Fue uno de esos momentos en la vida cuando uno sabe que todo cuanto hasta entonces creía haber conocido daba un inmenso cambio. La realidad se expande, y no hay cinturones de seguridad, así que no hay donde agarrarse por el camino. ¡La propia velocidad te mantendrá en tu lugar!) Mientras daba vueltas al platillo entre mis manos, empecé a distinguir algunos patrones en su diseño. Había muchos niveles de diversos tipos de símbolos, a partir del borde y hacia el centro.

Mientras iba dando vueltas al platillo, un aspecto paralelo de Brian me habló por telepatía. Lo que me iba a narrar era alucinante. Dijo: «Tienes que leer esto de modo holográfico. Mira primero los números.» Así que comencé a contar las marcas y los símbolos. Brian explicó la genética de «su gente». Dijo que la parte del código

Figura 10. Una vista frontal del platillo de cerámica. Es difícil verlo en la foto, pero es curvado como una dulcera muy poco profunda (cortesía de Nancy Kuhta).

que introdujo en su obra de alfarería explicaba su estructura de ADN. Que las personas de su planeta tenían en realidad cuatro cadenas de ADN (en comparación con las dos nuestras) y que su cantidad de codones genéticos duplicaba a los de los seres humanos. (Un codón genético es una secuencia particular de tres bases adyacentes en una cadena de ADN o ARN que provee el código genético de información para un determinado aminoácido. En lo fundamental, dicen a nuestro ADN cómo trabajar y cómo comunicarse con el ARN. Los codones dicen a nuestro cuerpo cuándo tiene que detener y comenzar la infinidad de procesos que ocurren continuamente en nuestro interior. Algunos conjuntos de codones contribuyen asimismo a actividades anómalas dentro de nuestro cuerpo.)

Figura 11. Una vista más detallada del platillo de cerámica.

Brian nos dijo que su aspecto paralelo era del planeta Steara. Explicó que el ADN de los habitantes del Steara poseía aspectos holográficos que se comunicaban de manera muy similar a la de los cristales líquidos. Éstos creaban un campo fluido de energía donde la comunicación era inmediata y pura, y capaz de contener grandes cantidades de información en formatos pequeños. Manifestó que nuestro ADN era tan capaz como el de ellos, sólo que menos evolucionado. A continuación expresó que el ADN de los habitantes de su planeta era capáz de llevar a cabo una comunicación intencional y armonizada por completo en realidades paralelas, y que su estructura genética les proporcionaba también la capacidad de desmaterializar sus cuerpos para viajes intergalácticos. En otras palabras, eran capaces de abandonar sus cuerpos y, en sus formatos más esenciales y básicos, viajar por los canales entre tiempo y espacio a otras realidades, otros planetas, sistemas estelares, galaxias, etc. Brian me dijo también que su gente era muy avanzada desde el punto de vista tecnológico y que había aprendido a viajar en «espacios intermediarios». Esto es algo por el estilo de los canales entre tiempos y espacios, pero los «espacios intermediarios» son vías aun más intrincadas que requieren que los viajeros se desmaterialicen hasta un determinado nivel. Esto es asombroso: un intencional y auto-instigado «¡Sonríeme, Scotty!»

Mientras Brian «hablaba», me iba mostrando visualmente lo que describía para todos: mi cabeza se llenó de imágenes de otro planeta, del «espacio intermedio» y una particular reducción y asimilación. Me mostró cómo los habitantes del Steara podían utilizar la consciencia para excitar sus partículas, haciéndolas agruparse en diferentes relaciones armónicas, y cómo esto los capacitaba para viajar en «espacios intermedios» en forma de campos de energía hacia sus destinos intencionales en tiempo y espacio. Fue cual si yo hubiera aterrizado de un salto directamente en medio de los efectos especiales de una película de ciencia ficción, con Brian como director.

Brian dijo que los habitantes del Steara eran mucho más evolucionados en comparación con los seres humanos. No utilizaban palabras en su comunicación porque no las necesitaban: se comunicaban por telepatía o por símbolos. Éstos cargaban grandes conjuntos de información y no se podían leer de manera individual. Según Brian, estos símbolos eran conjuntos de frecuencias armónicas similares a nuestros campos de energía. Los símbolos en el platillo narran una historia fantástica de guerras planetarias, la procedencia de la galaxia de Brian e incluso sus coordinadas estelares.

De hecho, Brian se refirió a un sistema solar en la parte central de nuestra galaxia, donde habían sucedido acontecimientos catastróficos. Según parece, el sistema solar, Andión, giraba por una órbita elíptica alrededor de tres soles. (La rotación alrededor de los soles era un proceso largo, y sus días no se parecían a los nuestros aquí en la Tierra.) Un agujero negro en el centro de la galaxia alteró para siempre la órbita del Steara. (Un agujero negro es, en realidad, un mecanismo de equilibrio entre universos. A medida de que nuestro universo se expande, el agujero negro drena el exceso de energía hacia un espacio paralelo. Los agujeros negros estan presentes en todos los universos, y este sistema de «control y equilibrio» mantiene balanceados los niveles de realidad.) El desequilibrio creado por el poderoso empuje gravitacional del agujero negro, hizo que el planeta natal de Brian se desplazara fuera de su órbita normal. La inclinación de su eje creó un desplazamiento de polos, el cual, a su vez, produjo un efecto de tambaleo. El polo magnético y el verdadero polo Norte se alteraron, y las propiedades gravitacionales del planeta cambiaron también. En vez de un camino elíptico entre los tres soles, la órbita del planeta se convirtió en un patrón descabellado y desprovisto de equilibrio. Era similar a un cohete sin un giroscopio para equilibrar su trayectoria. El Steara colisionó con un cuerpo celeste no identificado. La destrucción del Steara fue inmediata y completa.

En el sistema solar Andión había 13 planetas. Ahora sólo hay 12.

En el momento de la destrucción del Steara un gran número de sus habitantes estaban fuera «en misión de servicios». Por no estar en el planeta en el momento del desastre, sobrevivieron, pero con el dilema de no tener donde regresar. Brian nos contó a continuación que en su sistema solar había un planeta que poseía una atmósfera verde pero que no era habitable para los habitantes del Steara aunque pudiera serlo para otros. Según él, el aire no era compatible con sus cuerpos, que poseían grandes cantidades de iridio y molibdeno. El predominio de estos dos minerales permitía a los habitantes del Steara trabajar en armonía con el universo. Los humanos, por su parte, tienen el carbono como mineral básico. Brian dijo asimismo que los habitantes del Steara podían parecernos anómalos, pero que somos los humanos quienes constituimos una anomalía, ya que estamos muy atrás en lo que se refiere a nuestra evolución en comparación con otras civilizaciones. Prosiguió diciendo que los cerebros de los habitantes del Steara eran «conectados» por completo y que eran capaces de tecnologías inimaginables.

La cultura en Steara estaba estructurada para el bien de todos. En otras palabras, todos actuaban en interés del planeta y de cada uno de sus habitantes. Brian dijo que nosotros, aquí en la Tierra, vamos por «mal camino» ya que no prestamos atención a las cosas importantes para nuestra supervivencia.

Dijo que gente de la Tierra no deja de pelear por nimiedades:

La gente de la Tierra, en gran parte, es como niños malcriados. Cada cual cree que todos los demás son responsables de su felicidad o culpables de su desgracia. Pensar de esta manera es separarse del bien de todos y no funciona indefinidamente. Nadie es mejor que cualquier otro, y si no cambiáis este modo de pensar os quemaréis hasta extinguiros. La mayoría de los seres humanos tienen una opinión tan exaltada de si mismos en relación con todos los demás, que han cerrado la puerta de su acceso consciente a una realidad superior. Esto es algo que se puede cambiar. Aprendimos de nuestros errores, y si queréis escucharnos, podemos ayudaros. Existen alternativas mucho más limpias y fáciles al combustible que soléis utilizar. Lo que usáis ahora contamina cada aspecto de vuestro entorno y crea un desequilibrio sobre la Tierra. Y la provisión es limitada.

Bian dijo muchas otras cosas, pero lo importante es que en algún lugar fuera de aquí existe un niño dispuesto a ofrecer al mundo capacidades extremas y tecnologías fantásticas. Pedí a Brian que se nos acercara como lo habían hecho otros niños, en particular a Nancy o a otros que vivían en la misma área que él, para recibir así un mayor apoyo, fuese quien fuese. Al fin, para mi gran deleite, ¡Brian apareció en persona, acompañado de su abuela!

Nuestros bellos silentes engañan nuestros sentidos. Aunque debido a su apariencia dan la impresión de ser limitados en extremo, nos pueden ofrecer mundos enteros, siempre y cuando sepamos escucharlos. Se está al dar el primer paso hacia las posibilidades de realidades alternativas, porque sí existen. El paso siguiente consiste en desprendernos de las percepciones de control y, simplemente, permitirnos vivir en el momento dado. Cuando lo hagamos, tendremos mayores probabilidades de obtener un número infinito de cosas que nos han faltado por completo durante toda la vida. ¡Dejemos que los niños, a partir de la inocencia de su propio ser, nos enseñen las complejidades de la creación!

Los chicos transicionales

Capítulo 10

Los chicos transicionales son un grupo muy especial de seres que aparecieron en la Tierra después de los niños índigo y que en estos momentos tienen, *a grosso modo,* entre 16 y 22 años. Atrapados por el fuego cruzado de fuerzas evolutivas, los chicos transicionales han llegado a la Tierra con una carga mixta de energías. Es como si en el momento de su llegada se les hubiera insuflado un poco de cada tipo de energía, y luego se la hubiera agitado. No son índigos, pero poseen un poco de energía índigo (por ejemplo, tienen una gran sensación de que los paradigmas en que viven no son verdaderos). No son niños cristal, pero partes de sus campos funcionan del mismo modo que los de los niños cristal. En muchos aspectos, los transicionales suelen ser igualmente sensibles y dotados. No son hijos de las estrellas, y sin embargo poseen muchos de sus atributos. Algunos de ellos son brillantes y conocen de manera inherente muchas cosas sobre la Tierra y el más allá.

Los chicos transicionales actúan a veces a modo de «puentes» entre las fuerzas de energía, y en ocasiones esto puede construir un fenómeno fascinante. Por ejemplo, un muchacho que posee tanto patrones de energía índigo como los niños cristal, puede parecer rebelde, pero de un modo belicosamente creativo. Un joven de Norfolk, Virginia, que se llama Chris Garnett, se unió al PETA, un grupo formado por activitas de protección de derechos de animales y que trata de prevenir crueldades contra éstos. El grupo llevaba a cabo una campaña contra la cadena de restaurantes de comida rápida Kentucky Fried Chicken alegando crueldad hacia los pollos. Chris se apasionó tanto con la causa que, recientemente, se hizo famoso en toda la nación al cambiar legalmente su nombre por Kentucky-Fried-Cruelty-dot-com. En su caso, vemos que Chris posee el sentimiento «rompe-paradigmas» de los índigos en combinación con la socialmente consciente energía de los niños cristal. Chris dice que su nuevo nombre «siempre crea polémica».

Otro ejemplo asombroso de la combinación de las fuerzas energéticas índigo y cristalinas es Farris Hassan, de 16 años, quien atrajo la atención internacional al emprender solo una odisea a Irak. La familia de Farris proviene de dicho país y ha vivido en Estados Unidos durante 30 años. Farris, que tenía programado un viaje al campamento escolar para las Navidades, empacó sus cosas y se marchó tal y como estaba planeado. Sin embargo, en vez de reunirse con sus compañeros de clase, Farris tomó su pasaporte y 1.800 dólares y viajó sólo hasta Irak. Una vez allí, envió a sus padres un e-mail comunicándoles dónde estaba. Farris había estado estudiando periodismo de inmersión en la escuela media superior, y su intención era hacer una inmersión en el pueblo iraquí para esclarecer su comprensión de la guerra y de sus efectos sobre la población. Farris deseaba asimismo presenciar las históricas elecciones parlamentarias de diciembre de 2005. Incluso a pesar de que el Departamento de Estado estaba advirtiendo a los estadounidenses que no visitaran Irak, Farris no tuvo problemas para entrar en la zona de guerra en Bagdad. Al llegar, se presentó a unos periodistas de la AP que estaban hospedados en un hotel. «Hubiera hecho lo imposible por lograr esto, incluso más que lo indecible», les dijo. Por último, los reporteros recibieron ayuda del ejército norteamericano, y unos militares condujeron a Farris de vuelta a casa. A su llegada, fue recibido por una multitud de reporteros. ¡Otro caso de energías índigo y cristalinas en combinación, para despertar conciencia social y logros asombrosos!

No hay dos conjuntos de energías transicionales que sean iguales. Los niños que poseen las nuevas energías reaccionan de muchísimas maneras, y esto no siempre conduce a un resultado positivo o divertido, como en el caso del jovencito que acabamos de describir. Algunos de estos chicos pueden parecer hiperactivos o inestables debido a la confusión que se produce en sus sistemas de energías. En lo fundamental, las mismas fluctuaciones de energías que aportan dotes extraordinarias pueden causar un sin fin de problemas. Esta situación causa asimismo variaciones extremas en la estabilidad emocional y capacidad de afrontar contratiempos.

Los chicos transicionales poseen una asombrosa percepción de muchos o incluso todos niveles de realidad, y sin embargo muchas veces les faltan las destrezas o la capacidad de integrar lógicamente estas experiencias a su vida cotidiana. Debido a esto, muchos de ellos se vuelven irritados, frustrados o incluso enferman. Tienen un sentimiento cósmico de que no todo anda bien en su mundo, pero, a causa de la lluvia de información intuitiva y extraterrenal que reciben todo el tiempo, al parecer no pueden descubrir las respuestas o soluciones a sus sentimientos y percepciones. Lo que ven y experimentan al margen de la realidad tridimensional es con frecuencia tan extraño que estos chicos cierran toda comunicación con sus familiares y amigos y empiezan a interiorizar sus experiencias.

Algunos de los chicos transicionales ven la realidad de modos muy diferentes que la mayoría de las personas. Algunos de ellos perciben constantemente a guías etéreos, ángeles, espíritus de los difuntos e incluso lo que ellos describen como demonios (que en realidad no son otra cosa que seres de dimensiones inferiores). De hecho, algunos de los chicos transicionales con quienes he trabajado han manifestado frustración por no tener privacidad, ya que se ven siempre acompañados por una multitud de seres de otros mundos. En muchas ocasiones a lo largo de su crecimiento, los chicos transicionales no se sienten seguros. Con frecuencia, los abruma un sentimiento de estar en presencia de seres oscuros, y sienten que estos seres influyen en ellos e incluso les hacen daño. Y muchos de los chicos no se lo dicen a nadie. Día tras día, padecen miedo y confusión. Mientras más perturbadora se vuelve la situación, tanto mayor es el sentimiento de fracaso y lobreguez. Algunos de estos muchachos empiezan a creerse de veras que están influidos o poseídos por entes oscuros. En la mayoría de los casos, esto no es cierto.

Los chicos transicionales no comprenden que sus visiones son simplemente manifestaciones de otros planos de realidad. Ya que nadie más puede ver estas cosas, el chico empieza a creer que no es normal, y le embarga un profundo sentimiento de soledad. De este modo, se vuelve víctima de sus dones. A los chicos transicionales todo les parece aplastante y tremendo. Y cuando entran en la adolescencia, muchos de ellos desarrollan la creencia de que, realmente, algo malo les está sucediendo. La sensación de que son en cierto modo imperfectos les resulta devastadora. Su estado de ánimo se ensombrece, y comienzan a manifestar estos sentimientos en sus trabajos artísticos, en la manera de decorar su habitación, en su modo de vestir e incluso en sus actividades. La conducta autodestructiva es frecuente. Si tienden hacia las energías oscuras pueden llegar a usar drogas, alcohol o ambos. Algunos parecen estar deprimidos o incluso ser propensos al suicidio. Un tiempo después pueden incluso convertirse en sociópatas ya que se vuelven insensibles y ya nada les importa. Para estos muchachos, la ilusión de oscuridad pesa más que la luz.

La mayoría de nosotros tenemos filtros que nos protegen y no nos dejan ver y sentirlo todo durante todo el tiempo, pero estos chicos no los tienen. Enfrentémoslo: los muchachos «normales» pasan ratos bastante difíciles durante la adolescencia haciendo frente a fluctuaciones en su cuerpo y mente. Hagámonos idea de un conjunto totalmente distinto de sentimientos y percepciones, tales como los que tienen los chicos transicionales, y se agrega una dimensión nueva y más problemática. No todos los chicos transicionales se ven inundados por este tipo de sentimientos y experiencias, pero los que los tienen muchas veces se ven en extremo afectados. Algunos médicos lo llamarían «conducta psicótica», pero no lo es.

Algunos de los chicos transicionales proyectan una fachada de omnipotencia, de ser más extraordinarios que cualquier otro. Proyectan esta imagen personal en sus relaciones con los demás, y terminan perdiendo el respeto a toda autoridad. Incluso los chicos transicionales que eligen un camino más positivo suelen estar sobrecogidos y enfermos: pierden peso, dan muestras de depresión y de síntomas físicos imposibles de explicar desde los puntos de vista de la medicina. Es cual si estuvieran padeciendo por el mundo entero. Se ven aplastados por sus dones y perdidos en sus viajes.

Al igual que en el caso de los niños cristal, muchos de los transicionales dan muestras de extrema sensibilidad: sienten y notan absolutamente todo. Los campos de energía mixtos de estos chicos contribuyen a la amplificación de la sensibilidad normal. Imaginaos que todo lo que sentís se multiplica por 10, todo el tiempo, cada día de vuestra vida, lo bueno y lo malo. Hiperconscientes, hipersensitivos, «hiper-todo», es así como sienten estos chicos. Las heridas emocionales se magnifican mucho más allá de lo que sienten las personas «normales». Muchos de los chicos transicionales son muy artísticos y saben valerse de su arte para expresar dramáticamente la profundidad de sus sentimientos.

Una joven con quien trabajé hace varios años manifestaba frustración por no tener ninguna privacidad. Sin que importara donde estuviera o lo que hiciera, veía siempre seres demoníacos, ángeles y guías. Cuando salía a caminar, era cual si tuviera un entorno multidimensional. Me dijo que, en cierto sentido, se sentía como si estuviera acechada, y esto la asustaba. Con sus dones, nunca estaba sola. Debido a sus experiencias, la joven empezó a conocer cosas que no podía compartir con su mamá, a quien se sentía muy apegada. (La mamá apoyaba mucho a su hija y daba ímpetu a nuestro trabajo conjunto.) La joven no creía poder compartir sus episodios con nadie, ya que eran tan extraños que solía cuestionar su propia salud mental. Se volvió atemorizada e insegura.

Esta joven se puso muy enferma, y nadie podía imaginar por qué. Cuando me encontré con ella por primera vez, había estado enferma durante meses. Era delgada con profundas ojeras, y su vitalidad muy baja. Ninguna de sus pruebas médicas daba respuestas. Se sentía enferma y cansada. Todo lo que hacía falta para que esta bella muchacha diera un vuelco completo a su vida, era que alguien le dijera que lo que ella estaba experimentando era real, corriente y simple. Conversamos durante horas, y cuando me contó sus experiencias, le dije: «Si estás experimentando estas cosas, entonces debes saber *también* sobre…» Y me miró con ojos muy abiertos y respondió que no había hablado a nadie sobre estas cosas, así que ¿cómo yo podía saberlo? Estaba asombrada y sentía alivio al saber que había otros con dones similares. Después de nuestra sesión mi joven amiga se volvió mucho más sociable, empezó a mejorar desde el punto de vista de la salud física y a disfrutar de la vida sin la carga del miedo oculto que la había agobiado durante tanto tiempo. Incluso encontró novio.

Los chicos transicionales que ocultan sus sentimientos y experiencias, se cansan. Hay razones físicas para esto. Su elevada sensibilidad reduce los niveles de los minerales básicos dentro de sus sistemas vitales. Primero se reducen los niveles del magnesio, luego del calcio. Otros minerales, tales como el aluminio, empiezan a penetrar en los receptores celulares, aunque este no es su lugar. Con el paso del tiempo el cuerpo se intoxica o se vuelve disfuncional. Al encontrarse por primera vez con algunos de estos muchachos, una se siente un poco como si un tragante la succionara, de tan cansados que están. Quien es sensible a la energía puede experimentar realmente una constante sensación de que estos chicos lo drenan. Para hacerlos mejorar y equilibrarlos, el sanador debe poseer una paciencia especial. Los chicos transicionales son también propensos a infecciones y otras enfermedades que comienzan y terminan de manera misteriosa, muchas veces sin un diagnóstico definitivo por parte de la comunidad médica. Yo lo denomino «enfermedad cósmica», porque proviene de una fuente que se encuentra mas allá de las fuentes biológicas tridimensionales. Los chicos transicionales necesitan sobre todo auto-valoración. Necesitan saber que hay otros como ellos y que no están solos en sus experiencias. Sólo esta percepción consciente puede marcar las diferencia entre un chico que vuelve a la vida de una manera positiva y uno que, literalmente, no sobrevive.

Da la impresión que estos muchachos tienden a polarizar una manera u otra: o se potencian, o *perciben* poder debido a sus dotes. Dicho de otro modo, o crecen a la vez que sus dotes aumentan, o empiezan a pensar que sus dotes pueden utilizarse para ganar poder sobre otros de modo malevolente. Cual es el camino a seguir es una elección que se basa en la experiencia. He hallado con gran frecuencia que la opción se relaciona de modo directo con el sistema de apoyo que tienen los chicos. Existen aquellos que, con apoyo y buenos cuidados, aceptan sus dotes y crecen con ellos. Por otra parte, los muchachos que ocultan su sensitividad y percepción consciente, con el tiempo se vuelven perturbados o enferman. Se sienten indefensos y desesperados, y algunos de ellos dan uso al poder después de haber tenido experiencias negativas. Muchos de ellos llegan a ser auto-abusivos o violentos con los demás.

Brittany

La primera chica transicional con quien trabajé fue una niña de 15 años que me remitió un amigo psicólogo. La llamaré Brittany. Por razones familiares, Brittany había desviado sus dotes hacia pura maldad y práctica de brujería. Jugaba en serio con la magia negra. Era un ser poderoso cuya fuerza energética llenaba la habitación de un modo incómodo, cual si tratara de imponerse a cuantos la rodeaban. Era evidente que la madre de Brittany estaba atemorizada por su hija, y se sentaba en silencio, escuchando a ésta hablar en voz alta y proferir blasfemias. La mamá no se atrevía a contradecirla ni tan siquiera dar una apariencia de oposición. Más tarde supe que en ocasiones la muchacha actuaba dirigiendo su ira y violencia contra su familia. En tales momentos, todos le tenían miedo.

Brittany había iniciado su verdadero aquelarre personal, practicando magia negra, sobre todo por la noche. Ella y su grupo eran sexualmente promiscuos y compartían conductas desviadas. No se sabía con quiénes, cuándo, ni dónde se llevaban a cabo estos actos. Al parecer, la chica no veía nada malo en su conducta, de hecho, daba la impresión de estar orgullosa de sus acciones. Brittany y su aquelarre rondaban de noche por los caminos haciendo cosas terribles según los patrones de la mayoría de las personas. No le importaba hacer daño a la gente, ya que para entonces había decidido que la violencia y la conducta amenazadora aumentaban su poder. Había descubierto que ella y algunos de sus amigos tenían el poder de influir sobre los pensamientos y las acciones de otros, y usaba su don como arma de manipulación. Brittany comprendía que su telepatía podía utilizarse en su propio beneficio, y así lo hacía, fácilmente y con regularidad. A la vez que aprendió a dominar sus dones de esta manera, se fue engañando cada vez más en cuanto a su propia grandeza. Su familia le tenía terror. Nadie le impedía en modo alguno salir ni limitaba sus actividades. Había una considerable carencia de habilidades por parte de los padres. Hablando en términos generales, su familia como unidad era disfuncional en muchos niveles. Se podría argumentar que Brittany había nacido en esta familia para poder crecer y aprender a realizarse en ambos sentidos.

Cuando su mamá me la trajo a la consulta, Brittany retrocedió ante mí. Su vocabulario estaba plagado de blasfemias; la chica se rodeaba de enormes bloques de energía, a modo de fortaleza. Se la percibía como pura maldad, y exhalaba profunda ira. Sentí frustración por el hecho de que ni la madre ni la hija se comunicaran conmigo más allá de meras palabras de cortesía, y decidí hablar a Brittany en sus propios términos. Le reflejé lo que ella me estaba mostrando, la maldad y lo demás. Sorprendida ante mi muestra de severidad, respondió de modo positivo y, por último, accedió a que trabajara con ella. El campo energético de Brittany era una aglomeración de muchos tipos de energía y tenía poca organización. Se llevaron a cabo algunos cambios, y la sesión llegó a su término. En realidad reaccionó muy bien ya al final de la sesión. La chica que, aquel día, había entrado rugiendo con furia como una leona, me dio un fuerte abrazo y se fue con una serena sonrisa.

Por desgracia, andando el tiempo, Brittany volvió a elegir caminos rastreros. Intentó suicidarse y fue hospitalizada. Empezó a canalizar entidades muy negativas. Había pocas posibilidades de ayuda para esta situación, porque se le había permitido seguir con su juego durante demasiado tiempo. Más tarde recibí una llamada acerca de su hermana, apenas uno o dos años menor que ella, que daba muestras de conducta similar: otra chica dotada en extremo sin una red que esperara su caída para atraparla. Por último, Brittany se cansó de la vida y de todo lo que venía con ella. Enfermó de gravedad y murió, benditos sean su corazón y alma. Tenía tanto que ofrecer, pero al parecer jamás pudo encontrar su lugar en un mundo incapaz de comprenderla. Este fue, a todas luces, un caso en que una familia, enfrentada a una niña dotada de poderes, no supo cuidarla o apoyarla de modo constructivo, de acuerdo con sus dotes. En vez de esto, se sintieron sobrecogidos. Ninguna ayuda profesional del mundo puede cambiar una situación hasta que *cada uno de los involucrados* opte por participar.

A veces nada de lo que la sociedad tenga para ofrecer puede satisfacer las necesidades de una criatura como Brittany. En última instancia, algunos de estos muchachos simplemente se rinden. Es un triste comentario sobre la sociedad, el que, al parecer, no podemos aceptar a aquellos cuyas diferencias son tan enormes; en vez de esto, tildamos a estos niños de disfuncionales, hasta que llegan a percibir esta disfunción dentro de sí mismos. En mi opinión, la causa principal de este fracaso es el miedo a lo que es «anormal». ¿Qué hubiera pasado si Brittany, con sus dotes, hubiera recibido apoyo desde el principio? ¿Si hubiera aprendido a sentirse fantásticamente bien en cuanto a sí misma? ¿Qué hubiera sucedido entonces? Jamás lo sabremos.

Heather

Otra chica transicional que llegó a mi consulta a instancias de su madre, amiga mía y colega. Se condujo conmigo de modo totalmente distinto. Cuando Heather y su mamá entraron en la consulta, me di cuenta de que la chica, en realidad, no deseaba estar allí, en parte, creo, porque hacía tiempo que me conocía y tal vez, sentía cierto embarazo. Las abracé a las dos y las llevé a conversar a un lugar tranquilo.

Heather tenía 16 años y se había visto envuelta en drogas, conducta promiscua y violencia. No le daba importancia al hecho de haber herido a alguien con un cuchillo. En realidad, me lo contó riéndose. Por tener tanta percepción consciente de otras realidades y por haber incurrido en patrones de conducta negativos, Heather había decidido que estaba poseída por una especie de demonio. Dijo tener muchos pensamientos que parecían provenir de otra parte. Con frecuencia se sentía mala y llegó a la conclusión de que su maldad era instigada por entidades oscuras. Dijo que no era responsable de estar poseída. En lo fundamental, me estaba diciendo que nada de lo que había hecho era por su culpa, sino por culpa de aquellos que le hablaban todo el tiempo en su mente. No deseaba aceptar el hecho de que estaba llevando su vida por mal camino.

Yo estaba sentada en silencio, escuchando y observaba el cambio que se producía en ella, de la niña que conocía, a alguien que personificaba la maldad absoluta. Mientras escuchaba, llegué a la conclusión de que Heather se había convencido de todas estas cosas porque no tenía ninguna respuesta. Nadie tenía respuesta a lo que ella estaba experimentando. Para colmo, unos años antes, el padre de Heather había abandonado la familia. Este acontecimiento, al parecer, confirmó a Heather en su convicción de que nadie podía amarla ni quererla. Con esta convicción por arma, estaba comprobando su carencia de valor a partir de sus dotes. En este caso, su hiper-sensitividad (característica de los chicos transicionales) infló sus sentimientos más allá de toda proporción, y Heather estaba actuando sobre ellos de manera negativa.

Después de haber escuchado a Heather durante un tiempo, empecé a captarla. Mientras lo hacía, variaba de táctica con frecuencia para mantenerla un poco fuera de equilibrio. Ella estaba tratando de dar la imagen de una persona que no encajaba en ningún lado, y yo no lo aceptaba. Cuando empezó a hablarme más de cómo estaba poseída, la interrumpí y le reflejé con exactitud la misma negatividad que ella me estaba proyectando. «Tonterías –le dije– Si estuvieras poseída de veras, ¡no hubieras sido capaz de abrazarme al entrar aquí! Simplemente estás buscando excusas para justificar tu conducta y no te lo acepto ni por un minuto.» Por un breve instante sus ojos se agrandaron, y luego la maldad volvió. Era impresionante ser receptora de sus miradas llenas de odio. Heather continuó haciendo todo cuanto podía para convencerme de la existencia de una entidad que la obligaba a hacer cosas malas. Acto seguido, con una energía opuesta por completo, la de puro amor, le dije que sabía lo que ella era en realidad, y que la Heather que yo conocía no podría aceptar esa clase de impotencia. Así, avanzando y retrocediendo, continuamos hasta que accedió a hacer conmigo algún trabajo de energía.

Cuando iniciamos su sesión, me percaté de que existían, en realidad, entidades oscuras que la rondaban en el éter, pero no habían incidido en el uso de drogas ni en otras conductas que la habían confirmado en su aversión hacia sí misma. Las entidades no habían causado sus malas elecciones sino eran producto de ellas. Como es típico en el caso de los chicos transicionales, el campo de energía de Heather era retorcido y caótico, con senderos errantes en todo el sistema energético. Sus energías eran también muy diversas, no eran índigo ni cristalinas, nada en particular y todo a la vez.

Mientras trabajábamos, le hablé de amor y aceptación incondicional. Le expliqué que ella no era ninguna de esas cosas negativas que había llegado a creer. Le dije que la veía bella, y de veras la veía así. Vi y sentí el dolor de Hether y se lo reflejé a través de compasión y con amor. Le hablé sobre sus dones y me manifesté dulcemente comprensiva de lo que era saberse diferente. También hablé a Heather sobre el amor, y sobre la diferencia que puede producir la fuerza del amor al vencer el odio y la auto-aversión. Dije a Heather que no aceptaría ninguna afirmación suya que fuese algo menos que perfección personificada. Le dije que yo sabía que ella era una persona excelente. Conversamos sobre muchas de sus experiencias extraterrenales, y fui capaz de explicarle cada una de ellas, aclarándole lo que sucedía. Fue un gran alivio para ella. Heather empezó a comprender que tener percepción consciente no necesariamente significaba tener una mala propiedad. Uno de los problemas más difíciles a que se enfrentan estos muchachos es que con frecuencia se sienten responsables por sus visiones, experiencias, comprensiones, precogniciones, etc. Se convierten en víctimas de sus dones, o al menos lo creen. No son responsables de la información que les llega. Por lo general, una vez que encuentran a alguien que confíe en ellos y pueda comprender la realidad de sus experiencias, estos chicos dan un cambio completo, ya que sus miedos y preocupaciones se disipan.

A veces, durante el trabajo más intenso que hicimos juntas, la mente de Heather parecía divagar mientras asimilaba nuestra conversación. Estaba escuchando, pero su capacidad de captar la verdad se veía obstaculizada por su negatividad. Por último sin embargo, aceptó el cambio. Su campo energético se equilibró, y las obstrucciones que habían existido en su interior se eliminaron. A partir de ese día su vida se transformó por completo: se volvió ordenada y sobria, y aprendió a verse a si misma desde un punto de vista positivo. Su vida empezó a devolverle, como un reflejo, estos cambios positivos. Ya que vivía de una manera positiva, los cambios que le han ocurrido han sido también positivos. Todos cuantos la conocen la quieren mucho; utiliza su gran inteligencia para crear planes para el futuro y elige maravillosos entornos donde trabajar y jugar. Heather se ha convertido en cuidadora de niños y disfruta el hecho de que los niños con quienes trabaja la quieren de veras, al igual que sus familiares. Heather sigue recibiendo asimismo el apoyo de su familia. Tiene ahora 21 años y está dispuesta a vivir una vida confortable sin conductas negativas. Está muy aferrada a su plan, y yo, personalmente, me siento orgullosa de ella.

Los chicos transicionales tienden a volverse tan furiosos que les resulta difícil pensar de modo racional. El método que he descubierto y que es el que mejor funciona con ellos involucra un poco de «variación de formas» en el tono y las posturas. A veces la única manera de atraer su atención es devolverles lo que dan, en otras palabras, encontrarse con ellos en sus propios términos y ser para ellos un espejo. El truco está en no ser como ellos, sino tan sólo un espejo que refleje su conducta. Es posible hacerlo con firmeza, sin caer en el aspecto negativo de esa conducta. Una vez ganada su atención (¡por lo general, debido al impacto por el hecho de que un profesional actúe de ese modo!), es posible comunicarles la amorosa verdad. Su elevada percepción reconoce la verdad y responde a ella.

Los muchachos aprenden de los adultos y de sus coetáneos, así como de los medios de difusión de hoy en día, sobre la decepción y las conductas autodestructivas, y con frecuencia usan lo que han aprendido para reafirmar los sentimientos de que sus dotes los convierten en seres inútiles o rarezas. A estos chicos hay que darles valor y ánimo y mostrarles cómo deben controlar sus dones para un crecimiento positivo. Sobre todo, es preciso afinar y utilizar sus habilidades de comunicación. Cuando un niño empieza a apartarse de los demás, se debe con frecuencia a que le faltan habilidades para sobrellevar, y se siente más seguro interiorizando sus fuertes sentimientos que arriesgándose a exposición y vulnerabilidad. También puede ser muy malo si no se le escucha. Un niño que siente que no se le escucha es un niño que empieza a creer que no merece ser escuchado. A estos muchachos hay que darles valor incluso cuando no podemos comprender sus experiencias. ¡Nuestra falta de comprensión no significa que sean menos reales! En esto no hay nada que temer; la percepción consciente elevada no es contagiosa.

Una estructura moderada es también de gran ayuda para los chicos transicionales: no un restrictivo conjunto de exigencias, sino un conjunto de actividades y metas holgadamente organizado en el que puedan participar. Cuando un chico sabe lo que debe esperar, se siente cómodo. La mayoría de los chicos transicionales que tienen dificultades viven en hogares donde todos están demasiado ocupados para percatarse unos de otros, o en hogares rotos o disfuncionales donde no hay comunicación ni hábitos de vida sanos. Cuando existe un formato donde vivir, este formato dice a los niños que hay alguien a quien ellos importan de veras; proporciona a los niños pequeños modos de medir su seguridad dentro de un ambiente predecible, y auto-validación cuando cumplen algo dentro del conjunto de pautas.

Los chicos transicionales no son meramente adolescentes rebeldes. Allá en lo profundo, están asustados de lo que ven, de lo que oyen y de lo que saben, todo lo cual nadie más parece comprender. Escuchadlos. No los juzguéis porque parecen tener ideas y percepciones extrañas. Animadlos a una conversión franca y sincera. ¡Tenemos mucho que aprender de ellos!

Ángeles sobre la Tierra

Capítulo 11

A lo largo de la historia, hemos leído u oído sobre ángeles que vienen a la Tierra para brindarnos su ayuda. Tuve una confirmación acertada y vívida de este fenómeno sorprendentemente común hace algún tiempo, cuando a duras penas pude evitar un accidente automovilístico. Iba conduciendo por una carretera a gran velocidad cuando de repente divisé frente a mí un pedazo grande de madera. Era una especie de poste cuadrangular. Antes de comprender lo que estaba sucediendo, pasé por encima de la madera, y al hacerlo, los neumáticos izquierdos de mi coche reventaron. A partir de ese momento, todo pareció avanzar a cámara lenta. En una milésima de segundo, estuve consciente de cada parte intrincada del desarrollo de los acontecimientos.

«¡Ángeles!» —supliqué— «¡Ayudadme!» La parte izquierda de mi coche estaba levantada sobre el pavimento, e iba avanzando a toda velocidad sobre dos ruedas. Además, estaba en el carril rápido y necesitaba desplazarme en seguida al borde de la carretera sin destruir mi coche, sin chocar con nadie y sin perder por completo el control sobre el vehículo, cuyo equilibrio era peligrosamente precario. Más pronto de lo que pude haber esperado, empecé a recibir instrucciones. Una voz me dijo con serenidad: «Tranquila. No te dejes llevar por el pánico. Gira el volante ligeramente de este modo, no demasiado, para que el coche no se vuelque.» ¡Esto yo lo podía ver! «Ahora, utiliza el impulso de tu coche para gobernarlo. Suave hacia el otro carril, ¡ahora! Así es. Ahora pisa el freno con suavidad, de modo que el coche se detenga en línea recta, bien, bien. Ahora, sal de la carretera y detén el coche.»

A pesar de mis apuros, al seguir las instrucciones, me sentía tranquila y perfectamente guiada. Cuando salí del coche y vi la envergadura del daño, empecé a temblar. El nivel de adrenalina en mi sistema llegó al máximo. De manera automática, me dirigí al cofre en busca de mi neumático de repuesto y el gato, para darme cuenta uno o dos segundos después de que tenía tan sólo un repuesto. De todos modos, estaba demasiado temblorosa a causa del accidente para siquiera tratar de usar el gato.

«Dios, necesito un ángel» –dije mientras me sujetaba al coche en busca de apoyo. Al terminar mi plegaria, levanté la mirada y vi una furgoneta que daba la vuelta en redondo y se dirigía hacia mí. Se detuvo, y un caballero ya mayor, de aspecto bondadoso, se apeó. Incluso a pesar de toda mi consternación, no pude dejar de notar un resplandor alrededor de mi rescatador. Era muy silencioso, pero las pocas palabras que dijo fueron tranquilizadoras. Dijo sólo lo suficiente para comunicarme lo necesario, y nada más. Me ayudó en todo y, antes de que se fuera, pregunté cómo se llamaba. Me dijo un nombre y dijo que vivía en una comunidad que me sonaba familiar. Más tarde, cuando intenté encontrarlo para agradecerle su ayuda, descubrí que no existía. La dirección tampoco existía. Nadie había oído hablar de mi gentil héroe. No era de esta Tierra: mis plegarias había sido respondidas, y un ángel vino a mi rescate.

Hay historias incontables similares a esta, en que ángeles llegan al rescate y después desparecen en seguida, y nadie vuelve a escuchar sobre ellos. Esta clase de interacción angélica es típica de los ángeles guardianes.

Sin embargo, los ángeles que voy a describir a continuación son muy diferentes. Nacen en forma humana, con alas y todo. Sus alas no son visibles para todos, pero hay algunas personas que sí pueden verlas. En estos chicos hay una cualidad etérea que no hay palabras suficientes para describir. Los pocos que he conocido están pasando momentos muy duros. Sienten una tristeza cósmica por la humanidad. No sienten pertenecer de veras a este mundo y al mismo tiempo tienen conocimiento de Dios, Espíritu y Luz, y experimentan un profundo sentimiento que este conocimiento produce en su corazón.

Michael

Hace unos siete u ocho años recibí una llamada de una buena amiga que me pidió que conversara con un joven que ella conocía. Tenía poco más de veinte años. Mi amiga tenía la impresión de que el muchacho podía estar en dificultades, y me dijo que yo lo comprendería cuando hablara con él. Entonces yo aún estaba esforzándome por poner en orden mi propio despertar y me sentí emocionada e impaciente por escuchar la historia que este joven me iba a contar. Lo llamaré Michael.

Antes de que yo pudiera telefonearle, lo hizo él. Al principio, Michael estuvo un poco tímido conmigo. Se encontraba en otro extremo del país y estaba solo. Hasta por teléfono pude sentir su tristeza. A medida que conversamos, Michael fue franqueándose cada vez más conmigo y me contó toda su historia; cuando lo hizo, tuve deseos de llegar a él a través del teléfono y abrazarlo con fuerza.

Tengo alas. Siento que he tenido que venir al mundo y repartir mensajes de amor. Durante el último año, literalmente, estuve vagando por el mundo. Fui a Europa y anduve descalzo dondequiera que fuese. No podía soportar el uso de calzado porque era como tener mis pies metidos en una caja. Necesito que mis pies sientan la tierra porque esto me ayuda a mantenerme anclado en la realidad terrenal. Por lo general me siento como que a duras penas estoy aquí. Necesito ayuda, de veras. He tenido algunas experiencias maravillosas durante mis viajes, sobre todo cuando fui a visitar a Padre Pío. (Padre Pío era un sacerdote devoto conocido por llevar a cabo curas milagrosas. Su cuerpo llevaba las *stigmata*, (las marcas de la crucifixión de Cristo.) Cuando estaba allí, podía sentir la luz, el amor, sus milagros, y me sentía cómodo. Conseguí la posesión de uno de sus guantes. La energía que éste contiene es un tesoro y un buen recordatorio para mí de que una persona puede afectar a muchas otras. No sé qué hacer ni adónde ir. Sé que debo compartir lo que conozco. Sé que tengo que tocar a las personas, curar a las personas, en sus cuerpos, corazones y almas, pero ahora estoy solo y perdido. ¿Puede usted darme alguna información que me pudiera ayudar?

Cerré los ojos y miré a este ser de manera energética. ¡De veras tenía alas! Eran blancas con un resplandor dorado alrededor de los bordes. Todo su campo energético era tan perfecto que mirarlo, siquiera de manera etérea, era muy difícil debido a su enorme brillantez. ¡Dios, otro desplazamiento de la realidad! Para entonces ya había tenido alguna experiencia con alas y ángeles, pero, realmente, no había esperado enterarme de uno de ellos por teléfono. Conversamos durante varias horas, y todo el tiempo sus palabras estuvieron impregnadas de una profunda tristeza. Estaba hasta tal punto sin pies sobre la tierra que le costaba trabajo participar en una conversación lógica. Su espíritu era demasiado puro. Para Michael, el daño que la humanidad se había infligido a sí misma era tan grande que él se sentía demasiado pequeño e impotente para producir ningún cambio positivo aquí en la Tierra.

Desde el punto de vista de la inteligencia humana, le ayudé a comprender mejor la compasión, el amor y las opciones. Le hablé sobre la seguridad personal, y cómo su vulnerabilidad constituía un tesoro y una dificultad a un mismo tiempo. Era tan inocente, tan puro que no podía entender por qué nadie podía comprender a Dios, el Amor y la Luz. Durante un rato le hablé solamente de cosas mundanas, tales como la necesidad de alimentos y sueño que tenia su cuerpo. Pasaba grandes dificultades para sostener su cuerpo físico, ya que su misión era para él lo primero y lo más importante. Con frecuencia, se olvidaba de comer y dormía muy poco. Estaba agotado y había perdido peso hasta estar exhausto.

Michael era todo amor, y este era el mensaje que deseaba compartir con todos. «Eres amor» –le dije–. «Sí, lo soy» –me respondió–. «Y este es también mi mensaje.»

«Michael» –le dije–, «debes recordar cómo usar tus alas. Esto es vital para tu viaje. Hay cosas que puedes hacer con ellas que pueden afectar profundamente a otros. Puedes usarlas para reconfortar y sanar a las personas.»

Me respondió: «Estoy tan cansado, pero tengo que seguir».

«Sí, tienes que seguir, pero si no te tomas tu tiempo para regenerarte, para reponerte, no serás capaz de hacerlo.»

«Sé que simplemente no sé qué hacer con este cuerpo. Es extraño para mí por completo.»

Así que le di a Michael algunas sugerencias de cómo encontrar equilibrio en su situación y cómo poner los pies en la tierra para poder desempeñar su función con mayor seguridad y eficacia. Allí estaba, un ángel de la perfección, limitado por un cuerpo imperfecto, en un mundo imperfecto, y sobrecogido por el alcance de sus emociones.

Al final de la conversación, le pregunté que iba a hacer ahora. Dijo que podría vagabundear en alguna otra parte, y algo de ir al Tíbet, entre otros lugares. Animé a Michael para que me llamara con regularidad, pero nunca más volví a tener noticias suyas. Todavía me pregunto si lo pudo hacer. Espero que sí.

Kara

Hace un par de años visité Canadá para impartir clases en un taller. Cuando estuve allí, una de las participantes se me acercó para hablarme de su hija de 16 años, a quien llamaré Kara. La chica había estado muy enferma durante muchos meses, y la madre me preguntó si tendría tiempo para programar una sesión de sanación para su hija.

Llego el día de la sesión. Era el final de la jornada, así que no teníamos límites de tiempo ni temor a interrupciones. Cuando entré en la sala de espera, mis ojos se posaron de inmediato sobre Kara. Exhalaba tristeza: era delgada, con grandes círculos oscuros debajo de los ojos, pero era bella. La tristeza que percibí se unía a la energía más extraordinaria que jamás había sentido, y sin embargo su tristeza era tal que la chica parecía estar ahogándose en ella. Su fuerza vital era muy débil. La mamá era magnifica y nos permitió conversar todo el tiempo que quisimos. Al principio, Kara no era muy franca, ya que no me conocía. Pronto establecimos una «zona de seguridad» donde conversar, y a medida que el tiempo pasaba, por momentos, nos sentíamos cada vez más a gusto.

Kara me dijo que tenía alas y que siempre tenía percepción consciente de tenerlas. Se sentía frustrada porque nadie podía verlas para apreciarla en su justo valor. Vivía en múltiples realidades a la vez, y no había nadie a quien su aspecto humano pudiera recurrir en busca de validación o camaradería. Por eso, el aspecto humano de Kara se sumió en una depresión cósmica. La chica se sentía fuera de lugar. Nadie podía comprenderla.

«Tengo alas», me dijo.

«Sí» –le respondí–. «Puedo verlas».

«Son tan reales para mí que tengo alas tatuadas en mi espalda, así puedo verlas en el espejo. Mis alas son muy azules». *Qué creativa,* pensé.

De hecho, sus verdaderas alas eran de un color gris azulado, como polvo, y tenían luz interior, creando un resplandor azul, sutil y transparente, alrededor de los bordes. Parecían muy frágiles, pero yo sabía que no lo eran.

«Tengo miedo», dijo a modo de tentativa.

Recibí sus palabras con un silencio y una mirada directa que le dijo que yo estaba dispuesta a escuchar cualquier cosa que me fuera a decir, y que nada de ello podría extrañarme. Insuflé a Kara algo de valor contándole sobre mis propios extraños dones, y siguió hablándome.

Tengo miedo porque veo todo, y peor, también siento todo. No comprendo cómo encontrar equilibrio con todo esto. Dondequiera que voy veo a otros como yo que no comprenden quiénes son. Veo ángeles, espíritus guías y espíritus de personas fallecidas. Entidades oscuras me rondan, vigilándome todo el tiempo. No siempre son las mismas, pero siento que en cierto modo me persiguen. Dondequiera que voy, están detrás de mí. Veo otras realidades aglomerándose sobre esta. Es muy confuso saber qué es «real» y qué no lo es. Pero lo peor es que no me acuerdo cómo debo protegerme. No tengo ninguna energía. Cuando trato de moverme, mi cuerpo se siente tan pesado que lo siento casi imposible. Pero sigo intentándolo. Estuve enferma durante meses, y ahora me siento como si estuviera sujeta a un hilo.

Kara de veras lo creía así.

«Respira profundo», me dije. *«Tenemos mucho que hacer aquí»*. Lenta y cuidadosamente, fui repasando todo cuanto me dijo. Hablamos de realidades multidimensionales, de diferentes tipos de energía, y cómo cada uno de los seres que ella veía tenía un propósito en la realidad como un todo.

Mientras hablábamos empecé a comparar sus dotes con algunos de los que yo tenía y que eran igualmente extraños. Le señalaba un punto en alguna experiencia que ella había tenido y le decía: «Si sabes esto, entonces tienes que también haber visto esto otro. Si te ha sucedido esto, entonces tienes que haber pasado por aquello».

Sus ojos se agrandaron de asombro. Alguien más podía estar relacionado con las cosas por las que ella estaba pasando, y esto la emocionaba. Conversamos durante más de tres horas, contándonos una a otra nuestras experiencias etéreas. Por último, Kara y yo nos dirigimos a una de las habitaciones de sanación y trabajamos juntas. Su campo energético era suave como de terciopelo, pero estaba caótico y lleno de estática debido a sus infructuosos intentos por procesar emocionalmente sus experiencias extraterrenales. A medida que trabajábamos Kara se fortalecía cada vez más. Le enseñé cómo protegerse y le expliqué que muchos de los seres que había visto eran simplemente curiosos. Después de todo, ¡un ángel en tercera dimensión es un poco diferente!

Por último, mientras me movía a través de sus campos de energía, pude sentir equilibrio. Puesto que la existencia tridimensional le era tan traumática, el campo energético de Kara era muy fragmentado; sus senderos energéticos eran mezclados y confusos, siguiendo rumbos errantes en vez de su ruta normal. A pesar de todo esto, lo más importante era que Kara deseaba de veras estar bien. Sobre todo, necesitaba saber que no estaba sola. Necesitaba saber que sus experiencias eran reales y que tenerlas no significaba nada malo.

Lentamente, los campos de energía de Kara empezaron a responder al trabajo que estábamos haciendo juntas. Comencé a presenciar normalización en un nivel tras otro de todo su sistema energético. La pérdida de energía se detuvo y su cuerpo empezó a revitalizarse. Sabía que tan sólo era cuestión de tiempo y que la vida de Kara empezaría a normalizarse hasta el punto de que podría sentirse de nuevo saludable. Pensé lo agradecida que me sentía por poder contribuir a la recuperación de Kara. Era tan magnífico saber que tenía a un ángel entre mis manos. Antes de que se fuera, me armé de valor para pedirle que me mostrara sus alas tatuadas, y Kara me lo concedió. Allí, cubriendo toda su espalda, estaban las dos alas más artísticamente dibujadas que jamás había visto: ¡incluso tenían el color correcto! Aquella noche, armada con el conocimiento de que no estaba loca, Kara salió con una nueva esperanza en la vida, sólo porque alguien invirtió un poco de tiempo para validar sus experiencias. Aquella noche, le dijo a su mamá que yo le había hablado de cosas que ella nunca había confiado a nadie, y que yo *conocía*. Estaba muy emocionada.

Algunos meses después, Kara sanó y recobró fuerza. Me enteré por su mamá que Kara, en general, era muy feliz y que incluso tenía novio.

Como demuestran todas estas historias, hay momentos en que los ángeles entran en nuestra realidad con determinados objetivos, pero se pierden por el camino. Hay chicos en nuestro mundo que necesitan con desesperación el mismo tipo de validación que Kara necesitaba. Además de los ángeles jóvenes descritos en este capítulo, existen en la Tierra ángeles «adultos». Muchos de ellos viven calladamente entre otras personas, sin levantar jamás la mano. Otros actúan en forma de maestros, mentores, sanadores o infinidades de otras manifestaciones de la perfección sutil.

Cuando lo divino choca con la imperfección inherente a la forma humana (como sucede a estos ángeles en la Tierra), hasta la propia existencia se les vuelve problemática. Estas historias pueden parecer, en gran medida, como episodios psicóticos, pero puedo asegurar que estos chicos son sanos por completo; sólo necesitan que se les dé ánimo y validación.

¿Cómo podemos ayudar?

Capítulo 12

Soluciones sociales

El concepto de personas dotadas no es un fenómeno nuevo en nuestro mundo. La diferencia radica en el predominio de las dotes, a medida que una cantidad cada vez mayor de adultos se despiertan ante realidades más grandiosas, y una cantidad cada vez mayor de niños nacen dotados más allá de lo que la cultura y la sociedad existente consideran como normal. Somos hijos de la grandeza. Todos provenimos de la misma fuente, la misma perfección, pero lo olvidamos. Si queremos honrar a nuestros hijos, debemos cuidarlos como es debido, para que las futuras generaciones dotadas crezcan con fuerza, coraje, sabiduría y poder personal para trabajar por un mayor bien de la humanidad. Debemos reconocerlos ahora.

Para crear cambios asombrosos y positivos en nuestro mundo, el primer paso es admitir la verdad de estos niños. No debemos permitir que nuestro ego o nuestra ignorancia nos obstruyan el camino. Los Niños de Ahora son maestros de una realidad más grandiosa. ¿Podemos aceptarlo? ¡Debemos hacerlo! En segundo lugar, debemos esparcir esta información de modo que alcance a la corriente dominante de la gente en el mundo entero, ya que este fenómeno carece de límites geográficos. Hasta ahora, hay algunos libros y películas dedicadas a los Niños de Ahora, pero apenas han arañado la superficie. Estos niños no son anomalías que se deban exhibir o convertir en objeto de sensacionalismo. Son personas reales con sentimientos reales, sólo que tienen elevada percepción consciente y asombrosas percepciones de nuestro mundo y del más allá.

En vez de considerar a nuestros niños dotados como diferentes o imperfectos, en vez de permitir que caigan en crisis tan sólo porque no se ajustan a nuestras percepciones, debemos prestarles atención, cuidarlos y animarlos a compartir sus dotes con nosotros. El hecho de que sus capacidades sean diferentes no significa que haya nada malo en ellos. Todo lo contrario. Una y otra vez me he encontrado con niños que han sido arrastrados a este doctor o a aquel psiquiatra, y a montones de otros profesionales, ya que los padres tratan de comprender y «arreglarlos». Los médicos no pueden encontrar nada malo en los chicos, pero los problemas persisten, en la conducta, en el rendimiento escolar, en las relaciones y en la vida en general. *No hay nada malo en estos niños.* Simplemente saben más y recuerdan más, pero nadie los escucha. Un niño con percepción conciente multidimensional que piensa de una manera compartimentada y holográfica no puede estar sentado tranquilo en una silla durante mucho tiempo. ¡Es imposible! Busquemos algunas soluciones para rodear a estos niños con amor y apoyo para que puedan llegar a ser todo aquello para lo que están destinados.

Ante todo, debemos ACTUAR. Esto significa tener:
Percepción consciente
Comunicación
Verdad

Debemos crear de manera social, en casa y en nuestras escuelas, la percepción consciente de que sí, algunos de nuestros niños son diferentes, y que en esto no hay nada malo. Pensad en la mamá de John Everett, que entregó un libro sobre los niños índigo a cada uno de los maestros de su hijo y al director de la escuela. Quería asegurarse de que pudieran comprender a su hijo. Además, no debemos tener miedo de hablar sobre cosas que no entendemos. Hay un montón de cosas en este mundo que no comprendemos, pero esto en sí no es un problema. El problema radica en la inacción y en la actitud de esperar a que alguien más vaya a resolverlo todo. Mientras tanto, se menosprecia a incontables niños, que en otras circunstancias hubieran podido verter luz sobre las mismísimas respuestas que buscamos. ¡Hablad sobre esto! Por encima de todo, debemos decir la verdad a nuestros hijos, nuestras familias, nuestros amigos y a todas las demás personas que tengan que ver con la vida de nuestros niños. En lo ideal, independientemente de lo que dicte nuestro sistema de creencias, si nuestro hijo nos dice que un ángel está presente, se puede apostar a que ahí está. Si nuestro hijo habla con profundidad o parece tener un punto de vista diferente al nuestro, así sea. Si nuestro hijo nos dice que otras personas están presentes e incluso las llama por sus nombres, hay una gran posibilidad de que esto sea cierto. Si nuestros hijos se vuelven callados o enferman, y no podemos imaginar el porqué, es probable que estemos mirando en dirección equivocada. Tal vez no reciban lo que necesitan o estén demasiado estresados por cosas que están sucediendo en el ambiente familiar o de la escuela. Si nuestros hijos nos hablan de lo que recuerdan de antes de ser nuestros hijos, lo les contradigamos; preguntémosles por más detalles para que puedan compartir sentimientos y recuerdos sin resolución. Los niños no saben cómo arreglárselas con esta clase de historias, sobre todo si son tan detalladas. Les enseñamos a no ser veraces cuando les decimos que sus percepciones, experiencias y recuerdos no son reales. Cuando nos piden que les expliquemos cosas que ni siquiera nosotros, los adultos, comprendemos, seamos veraces, respondamos a sus preguntas exhaustivamente, diciéndoles la verdad lo mejor que podamos. Demos alimento a sus corazones, almas, mentes y cuerpos. Mostrémosles que no es en vano el amor que ellos sienten y expresan.

No podemos permitir que nuestra carencia de comprensión se atraviese en el camino de verdaderas dotes. Debemos honrar a nuestros hijos. ¿Recuerdan a Sky, que dejó de decirles a las personas lo que sabía porque se reían de ella? Fue el público general el que convirtió en espectáculo a una criatura celestial y sincera. Qué vergüenza, qué pérdida. Admitamos que en nuestro mundo está sucediendo algo de veras importante: son nuestros hijos, los cambios que traen y las posibilidades que nos ofrecen sin pedir nada a cambio.

Sanando generaciones

Aunque los Niños de Ahora están dotados más allá de toda comprensión, no constituyen un espectáculo. No son exhibiciones circenses. Son seres humanos de vasta evolución con mensajes sagrados: nos hacen recordar quiénes somos y adónde vamos. Ponerlos sobre un pedestal no resuelve nada, excepto que acostumbra a su ego a ansiar atención. No podemos vivir a través de ninguno de nuestros hijos. Cuando los niños aprenden a atraer atención haciendo uso de sus dotes, el medio se vuelve más importante que el mensaje, y la verdad se diluye. Una y otra vez me he topado con familias de niños dotados donde las dinámicas habían degenerado hasta tal punto que estos chicos gobernaban toda la casa. En tales situaciones suelen volverse exigentes e incluso hacen comentarios peyorativos a sus padres, acerca de ellos o sobre otras personas. Llegan a ser dominantes y fuera de control. Debido a que los chicos parecen saber tanto y parecen tener una sabiduría más allá de sus años, con frecuencia los padres y otros los colocan sobre un pedestal. Permiten que los niños reinen sin límites y sin ningún tipo de estructura restrictiva. Así, un chico que comenzó con un don para el mundo, se vuelve de pronto egocéntrico y buscador de atención. Permitir a estos niños «dirigir espectáculo» forma pequeños que, al crecer, se convierten en adultos groseros y egoístas. ¡Nada en absoluto de lo que deseamos para ellos!

¿Recuerdan lo que Nicholas escribió en el prólogo? *A pesar de que mis aventuras cósmicas me han llevado desde pasear junto a Jesús hasta Atlántida, aquí estoy, «omnisapiente» e inocente a un mismo tiempo. Comprende, nosotros, los niños cristal e hijos de las estrellas, podemos parecer capaces de todo, y sin embargo necesitamos que el mundo sea capaz de escuchar lo mejor posible para alcanzar nuestro propósito y lograr el mejor efecto de cambio.* ¡Qué palabras tan sabias estas, las de uno de nuestros niños brillantemente dotados! Para los niños, sus dotes son su realidad, su norma. Es tan sólo la sociedad la que estigmatiza a nuestros niños y los tilda de diferentes. Nicholas reconoce que los niños pueden ser omnisapientes, pero siguen siendo niños, y necesitan orientación y estructura para cumplir lo que han venido a hacer. Debemos proporcionarles una especie de estructura o fronteras para que sepan lo que pueden esperar y puedan aprender a funcionar en este mundo. Debemos también animarlos en sus dones de maneras constructivas. Por ejemplo, en vez de convertir a nuestro hijo en un espectáculo hablando a todos los que nos quieran escuchar sobre las extraordinarias experiencias que tuvo, o sobre alguna cosa profunda que hizo, ¿por qué no preguntar al niño con dulzura y sinceridad si ha tenido alguna otra idea sobre el tema? Dejad a vuestro hijo expresar sus experiencias sin el drama y sin el sensacionalismo. Sugiero también, y mucho, que lleve un diario, ya que algunas de las ideas que los niños comparten con nosotros son muy profundas y sin embargo con el tiempo caen en olvido. Formulad a vuestros hijos preguntas sobre sus experiencias, que exijan respuestas detalladas y no las que se respondan con meros «sí» o «no». Pero, sobre todo, *escuchad* sus respuestas. Con frecuencia estamos tan ocupados que a duras penas escuchamos a nuestros hijos mientras nos apresuramos hacia lo que tenemos que hacer a continuación. Planteadles preguntas que les lleguen al corazón y responded a las preguntas de ellos con la misma actitud de dedicación mental y respeto.

El drama es destructivo ya que mantiene un cierto nivel de caos en el hogar. Lo llamo «drama y trauma», porque es imposible tener el uno sin el otro. Cuando el drama es grande, nadie escucha y todos reaccionan; nada se resuelve y todo se exacerba. Reina el caos. Por otra parte, ¿por qué no enfocar las situaciones con nuestros hijos desde un punto de vista maduro? ¿Por qué no romper los viejos patrones familiares y permitirnos sanar la disfunción que podemos haber recibido? ¿Por qué no habilitar a nuestra nueva y dotada generación con un conjunto más saludable de herramientas que ellos puedan llevar a mundo para efectuar el cambio?

Si estamos dispuestos a dar a nuestros hijos todas las oportunidades para realizarse como lo que son, entonces nosotros como padres, cuidadores, maestros y amigos debemos primero empezar a sanar nuestros cuerpos, mentes y espíritus, y esto requiere honestidad e integridad. Si no podemos ser honestos con nosotros mismos, ¿cómo podemos ser honestos con alguien más, sobre todo con nuestros niños? La auto-sanación implica también mirar profundamente en nuestro propio interior y averiguar por qué re-creamos sin cesar el mismo tipo de situaciones, y por qué permanecemos dentro de esos patrones que nos tienen en medio de un torbellino. ¿Qué es lo que tratamos de aprender? ¿Por qué dejamos que el miedo nos controle? Por ejemplo, una y otra vez nos podríamos ver en una situación en que damos y damos sin cesar, hasta que alguien toma ventaja sobre nuestra generosidad, hasta el punto de que nuestros deseos se ven menospreciados y nuestros sentimientos, heridos. Cuando damos sin aprender a recibir, es por lo general un indicativo de que tenemos miedo al rechazo o tal vez de no caer bien o de que no se nos ame. El dar nos asegura que se nos valore, pero en realidad lo que estamos haciendo es encubrir nuestro miedo de no ser lo suficientemente buenos.

Reconocer estos patrones de conducta es el primer paso hacia su sanación. Una vez que hemos reconocido que estamos atrapados en estos patrones, y una vez que hemos comprendido que vivir según estos patrones es una opción, ¡podemos elegir! No creo que para sanar debamos volver a vivir cada momento de nuestras dolorosas experiencias del pasado. En vez de esto, si podemos llegar al fondo de lo que nos lleva a estas circunstancias, podemos sanar casi instantáneamente, en cuanto lo deseemos. Cuando nos volvemos más fuertes y sanos, esta fuerza, esta salud es lo que vamos a traspasar a nuestros hijos. Y tal vez lo principal: debemos aprender a reconocer nuestra perfección. Debemos recordar que todo lo que necesitamos ya lo tenemos dentro. ¡Somos seres poderosos! Y esto es precisamente lo que debemos demostrar a nuestros niños.

Comunicación

La comunicación es vital, pero se debe equilibrar. Aunque los niños son sabios más allá de sus años, así y todo, en este mundo, no son adultos. Con sus profundas palabras y acciones, suele ser fácil olvidar que sólo son niños. Sin embargo, por las mismas razones, no podemos hablar a los Niños de Ahora cual si fueran bebés. De hecho, en la humilde opinión de esta autora, hablar a los bebés como si fueran seres irracionales no les ayuda a crecer; más bien retrasa su progreso.

A la inversa, hay algunos padres que cometen el error de presionar a sus hijos a que hagan cosas debido a su brillantez. Por desgracia, estos padres obran desde el ventajoso punto de vista de los viejos paradigmas que ya no sirven en nuestro mundo de hoy. Estos paradigmas han creado sentimientos de necesidad y vacío en muchas personas. No podemos vivir a través de nuestros hijos; es la hora de trasladarnos al mundo desde un lugar de plenitud y fuerza. Tenemos que permitir que la brillantez de estos niños los guíe en sus viajes. Ellos saben de veras lo que están haciendo. Tenemos que honrar sus logros, sean grandes o pequeños, y respetar sus sentimientos y percepciones, sabiendo que llegan hasta la médula de su ser.

Los Niños de Ahora requieren conversación honesta y franca, cuando hablamos no sólo con nuestras palabras, sino también con nuestras acciones y energías. Los niños toman en consideración todo esto cuando interpretan nuestros mensajes dirigidos a ellos. Saben inequívocamente dónde está la verdad, incluso auque nosotros no lo sepamos. ¿Coinciden nuestras palabras con nuestras acciones, o decimos una cosa y luego hacemos otra? ¿Qué dice a los niños nuestro lenguaje corporal? ¿Los miramos a los ojos y les hablamos honestamente, de todo corazón? ¿O les damos respuestas evasivas y les exigimos cosas, apresurados, a punto de salir de la habitación? ¿Nos comunicamos con ellos plenamente o sólo decimos lo que tenemos que decir porque estamos ocupados con cosas de la vida? ¿Escuchamos realmente a los niños o sólo los tratamos con aire condescendiente y volvemos a nuestros asuntos? ¿Nos percatamos de la mirada de sus ojos y de los matices en sus palabras y posturas? ¿Qué nos dicen en realidad?

Debemos escuchar a los Niños de Ahora porque sus mensajes son vitales para la humanidad. Como señala Nicholas, cuando los niños tienen el beneficio de que se le escucha, son capaces de experimentar verdadera relajación. Esta relajación no es meramente corporal: es calmar el espíritu desde el interior. Cuando escuchamos con atención, es también importante decir a los niños la verdad, sea la que sea, animarlos en sus dotes, pedir su opinión y establecer una comunicación mayor. Cuando tratamos a estas almas sabias, tenemos que estar presentes por completo, no apresurarnos en nada, para establecer una comunicación plena con ellas.

A los Niños de Ahora hay que criarlos bien. Hay una gran diferencia entre criar a un niño y malcriarlo. Criar a un niño significa sostenerlo, amarlo y comunicarse con él, y abrir nuestro corazón a todo lo que nos tenga que decir. Significa darle algo mejor que satisfacer sus necesidades básicas. Significa darle las herramientas emocionales, espirituales, mentales y físicas necesarias para su equilibrio interior. Esto significa abandonar los viejos patrones que ya no funcionan. Significa que la honestidad ha de ser lo primordial. Significa llegar a ser conscientemente creativos en nuestra propia vida al igual que en la de los niños. Esto *no* significa que debamos tratarlos como si fueran pequeños adultos. Sólo significa prestarles atención y tratarlos como deseamos que nos traten a nosotros. Criar a los niños tampoco significa comprarles cada juguete popular o llenar su vida de cosas. Significa compartir la vida con ellos de todo corazón.

Más que nunca, nuestros niños necesitan orientación. Cuando los niños son dotados, dan la impresión de tener una solución para todo. Aunque son lo suficientemente sabios como para considerar sus opciones y hacer elecciones maduras en determinadas situaciones, siguen siendo niños y no tienen edad suficiente para tomar decisiones en la vida sin que nadie los oriente. Podemos ayudarles ofreciendo explicaciones, opciones e información, así como orientación y estructura. Algunas de las mayores disfunciones que he visto en chicos mayores provienen de los padres que dieron a estos muchachos rienda suelta en su proceso de toma de decisiones, sin suficiente orientación por parte de los adultos para desenvolverse dentro de esta libertad. Tales chicos muchas veces llegan a sentirse sobrecogidos e inseguros, y lentos en la-toma de decisiones. A veces optan simplemente por no tomar ninguna. Se paralizan y quedan atrapados. Debemos guiar a nuestros niños de una manera responsable y, a la vez, permitirles a aprender a tomar decisiones acertadas. Por ejemplo, cuando un niño debe tomar una decisión en la vida, podemos ayudarle a explorar los posibles resultados de diversas decisiones. Al hablar sobre cada uno de los escenarios, el niño o la niña aprenderán a considerar las situaciones de la vida desde todos los puntos de vista. Entonces, el niño aprende a enfocar las futuras decisiones desde una perspectiva inteligente, y no guiándose por el deseo de una gratificación inmediata. Este proceso muestra asimismo cómo las decisiones pueden afectar a otras personas o situaciones futuras. Por lo tanto, el niño aprenderá a tomar decisiones basándose en la información y hacer elecciones esperanzadoras. Debemos decir la verdad y actuar con la verdad, porque los niños saben cuando no lo hacemos. El drama y la sobreactuación son muy poco recomendables, ya que estos niños lo sienten todo. Con dinámicas de comunicación más serenas, y si se les da la mitad de las oportunidades, la mayoría de estos niños se muestran deseosos de considerar todos los aspectos de la situación. La mayoría de los padres y cuidadores que utilizan este tipo de comunicación descubren por lo general que, en última instancia, ¡son los niños quienes les enseñan a ellos!

Ambiente familiar

Como hemos dicho antes, los Niños de Ahora son en extremo sensibles al ambiente. Éste comprende no sólo la calidad del aire que respiramos, la tierra donde vivimos y el agua que bebemos, sino también lo que nos rodea en el hogar y en la escuela. De hecho es todo nuestro entorno. El ambiente tiene que ver también con la estética; el aspecto que tiene nuestro ambiente y los sentimientos que nos produce tiene mucho que ver con cuán confortables estamos allí. Como los campos de energía de los Niños de Ahora se componen de frecuencias lumínicas que poseen vibraciones más elevadas que las de las generaciones anteriores, al crear sus ambientes hay que tomar cuidados extra. Los campos de energía de estos chicos son más sensibles que nuestra piel. *Sienten* realmente el color, la luz, el sonido e incluso formas, de la misma manera que nosotros percibimos los objetos al tacto. Pero para estos niños, es como si alguien hubiera-elevado el volumen del receptor de su sensitividad. Esta elevada susceptibilidad de las sensaciones se extiende a modo de antena mucho más allá de sus cuerpos.

Cuando el campo de energía de un niño sensitivo percibe vibraciones de colores, sonidos o formas etc., el niño siente que lo percibido le llega al corazón. Si un ambiente es inconfortable, un niño puede sentirse sobre-estimulado y actuar en consecuencia. Aunque su hipersensibilidad probablemente no lo registre en un nivel consciente, la incapacidad del niño para verbalizar su malestar subconsciente crea una sensación de angustia, la cual se manifiesta a continuación en sus estados de ánimo y conductas.

Los estados anímicos y niveles de confort de los niños se ven fácilmente afectados por los colores en sus entornos. Los colores suaves, agradables, tales como los colores pastel azules, rosados, verdes, cerceta y lavanda, son los mejores para un ambiente tranquilo. Hay que tener cuidado en evitar los colores rojos y amarillos intensos, porque un niño en un ambiente rojo o amarillo se vuelve más propenso a estar ansioso, nervioso o hiperactivo. Esto se debe a que el color es frecuencia, y la frecuencia (como energía) es sonido y movimiento. La energía del color interactúa con nuestros sistemas energéticos personales y, de hecho, los altera. Los colores oscuros, tales como los marrones, azules, verdes o púrpuras profundos, poseen frecuencias más lentas y por tanto quizás sean demasiado sólidos para los niños sensitivos. Un niño sensitivo (e incluso un adulto) puede realmente sentir esos pesados colores oscuros como un lastre que lo arrastre hacia abajo. Si un niño sensitivo pasa largos períodos de tiempo en habitaciones con estos colores oscuros, por último empezará a dar muestras de tristeza, o incluso depresión, de ligera a moderada. Si por razones de estética se opta por combinar determinados colores en una habitación u hogar, hay que tomar cuidado para elegir colores que posean frecuencias similares. Por ejemplo, no se deben mezclar los colores azul Prusia y cerceta, verde limón y rojo, u otros colores que desarmonicen entre sí.

Asimismo, es de extrema importancia lo que se percibe visual y auditivamente. Demasiado sonido o demasiados objetos en el campo visual pueden causar que estos niños se sientan incómodos o sobrecargados. El ruido de un televisor, la radio, los juegos de vídeo o incluso una incesante conversación pueden aumentar conductas negativas, así que es una buena idea limitar el volumen de todo artículo electrónico, así como el tiempo asignado a su uso. Habitaciones en desorden o incluso paredes llenas de carteles y fotografías y con poco espacio libre, pueden ser asimismo perturbadoras y sobre-estimulantes. Las superficies limpias tienden a tranquilizar a los niños. Estantes de libros organizados según el tamaño; cuadros en las paredes que acentúen y no meramente «llenen»; muebles de colores sólidos en coordinación con el resto de la estancia; y orden general con lugares específicos para juguetes y todo tipo de avioncitos y barquitos (tal vez un armario de precio reducido, provisto de gavetas y anaqueles, que se puede encontrar en la mayoría de los comercios de útiles para el hogar), son buenos ejemplos de cómo se puede cambiar un ambiente desordenado. Puesto que los Niños de Ahora están muy conectados con la naturaleza, las plantas vivas, los jardines e incluso el agua corriente, en forma de fuentes o peceras, son las maneras más excelentes para crear un ambiente confortable y tranquilizador.

Las formas geométricas básicas añaden una dimensión asombrosa al resto de la energía en una habitación. Esferas, pirámides cuadriláteras, cubos, octaedros, etc., son formas de energía básica que se hallan en toda la creación. Todos poseemos memorias inherentes que reconocen estas formas básicas y tienen resonancia armónica con ellas. ¡Las formas geométricas son también fáciles de mantener limpias!

Otra cosa que hay que tener en cuenta es que las ondas FEM (frecuencias electromagnéticas) pueden interferir con los campos energéticos de los niños, haciendo que se reorganicen según patrones no armónicos. La interferencia FEM puede provenir de diversas fuentes, que incluyen televisores, ordenadores, líneas de alta tensión, cocinas de microondas, juegos de vídeo, etc. Cualquiera de ellos puede causar problemas de conducta de un niño o drenar su energía física.

Actividades

Puesto que los Niños de Ahora piensan de una manera compartimentada, las actividades de formato lineal no les sirven bien durante mucho tiempo. El que piensa compartimentadamente, realiza muchas tareas a la vez como si tal cosa, así que es natural para los Niños de Ahora dispersar su atención en muchos sentidos a la vez. Lo que parece limitar su atención es, en realidad, su capacidad de seguir el rastro de muchas cosas al mismo tiempo. Estos niños son como esponjas y absorben todo lo que los rodea. De modo similar, pueden cambiar de dirección mental. Por ejemplo, en un momento pueden estar hablando de su tarea de arte, y en el siguiente, al parecer de buenas a primeras, pasar a la realidad multidimensional. O pueden pasar de jugar con el perro a una conversación sobre mecánica cuántica, y luego volver a su juego. A veces, esto puede alterar un poco los nervios de los padres o cuidadores que desconocen este fenómeno. La mejor manera de tratar con este tipo de conducta es proporcionar múltiples opciones de actividades simultáneamente. Hasta cinco actividades diferentes es lo óptimo. Por ejemplo, para un niño pequeño, un libro de colorear y lápices; papel y pintura; tarjetas con letras, números o palabras; un juego de mesa; y tal vez algún barquito, son buenas posibilidades. Todas las actividades son igualmente interesantes para el niño, así que va mezclando el juego con el aprendizaje. Acordaos de cambiar las actividades con regularidad para mantener el interés del niño.

Los Niños de Ahora tienden a dejar un rastro de sus actividades de una habitación a otra, así que es preciso implantar determinadas reglas básicas. Cada actividad debe tener su propio lugar que sea aceptable para los padres, como por ejemplo una mesa donde la pintura derramada no represente un problema. La actividad debe desarrollarse sin salir del área asignada. El niño puede pasar de una actividad a otra a su antojo, pero es responsable de limpiar y organizar el desorden que ha producido. Hay que exigir al niño que, antes de proceder a la limpieza, termine todas las tareas que haya comenzado. Este sistema habrá de disminuir esos rastros de actividades y liberar a los cansados padres de tener que limpiar y ordenar constantemente lo que ocasionan sus hijos. Este sistema asimismo funciona bien cuando hay más de un niño, ya que el cambio de actividades hace más probable que los niños las compartan. Ocupar a los niños en tareas múltiples es divertido y alimenta de modo constructivo su incesante curiosidad creativa, proporcionando salida a sus flujos de elevada energía. Esto calma a los niños y, en general, calma todo el hogar.

Para los padres de los hijos de las estrellas, excursiones a planetarios o centros científicos son una manera fantástica de alentar su aprendizaje científico. Instalaciones de lanzamiento de cohetes, modelos con partes móviles, juegos de química (desde luego, bajo supervisión), equipos de crecimiento de cristales, equipos de ensamblar radios, en realidad, cualquier cosa que tenga algún valor técnico, todas las elecciones son buenas. Desde luego, ¡los libros son bienvenidos siempre! Excursiones campestres a parques, senderos naturales o zoológicos (donde los niños puedan interactuar con animales) son asimismo aconsejables.

Sobre todo, una estructura suave pero consistente es vital para estos niños. Necesitan saber lo que deben esperar y qué se espera de ellos. Si los niños no tienen la menor idea de cómo es el éxito, no lo obtendrán nunca. Si no tienen una clara comprensión de las reglas, no pueden cumplir. Una clara comunicación de lo que se espera y un seguimiento consistente, esto es lo que se debe tener. Los Niños de Ahora se sienten muy cómodos cuando conocen sus parámetros. Con este fin, premiar el éxito es primordial para el cumplimento exitoso. También, en vez de castigar sin pensarlo dos veces, los padres deben discutir con los hijos sobre sus indiscreciones para que sepan con exactitud cómo y por qué no han cumplido las reglas. Por ejemplo, si un niño desobedece una regla del hogar, se podría comenzar la conversación pidiéndole que explique cómo violó la regla. Esto crea percepción consciente. Acto seguido, podéis preguntar al niño cómo podría cambiar esa conducta la próxima vez para hacer una elección diferente. ¡Aseguraos de darle al niño tiempo suficiente para que pueda pensar en lo que va a responder! Esto le ayudará a aprender a hacer elecciones positivas y eficaces. Por último, preguntad al niño si ha aprendido algo de la situación y preparaos para discutir sobre esto teniendo en mente su punto de vista. En muchos casos, he hallado que el niño simplemente tenía un punto de vista diferente sobre lo que era correcto en aquel momento y no tenía intención alguna de producir daño, así que la flexibilidad y la paciencia son muy importantes. La buena disposición para escuchar al niño y comunicarle las reglas es parte del remedio. Espetar meramente las reglas a un Niño de Ahora –o a cualquier niño, es lo mismo– no conduce al éxito ni a la armonía en la familia. Los niños saben lo qué es correcto y lo qué es incorrecto y, por lo general, poseen un mayor sentido de integridad en cuanto a esto que la mayoría de los adultos. En lo esencial, los padres deben tener la buena voluntad de tomar en consideración el punto de vista de su hijo. A veces, sus diferentes percepciones pueden asombrar y deleitar, o provocar las más profundas discusiones y percepciones conscientes en todos cuantos los rodean.

Vínculos

Muchos de los padres con quienes he conversado se sienten muy aislados en sus situaciones. Tienen hijos que poseen dones asombrosos (y cuyo aspecto o conducta puede ser o no ser iguales que las de los niños «normales»), y carecen de oportunidades suficientes para conocer a otros padres y niños en situaciones similares. Algunas familia, debido a que sus hijos son mental o físicamente muy diferentes, se ven cada vez más aisladas. A veces, las situaciones financieras se vuelven tensas debido a los gastos médicos o a las grandes cantidades de tiempo que los padres se ven obligados a dedicar a sus hijos. Esto dificulta los viajes o los imposibilita. Las familias que he llegado a conocer viven en todas partes del país, de hecho, en el mundo entero. Se sienten separadas de la sociedad, incluso a pesar de que sus hijos son algunos de los más destacados ejemplos de humanidad.

Me gustaría ver la creación de una red que incluyera un forum de comunicaciones para padres e hijos. Esto pudiera involucrar la Internet, las líneas directas manipuladas por padres, y reuniones sociales, todo lo cual permitiría a familiares y cuidadores reunirse juntos y encontrar a otros que están en circunstancias similares (El sitio Web, www.childrenofthenewearth.com, planea expansión hacia estas metas. Patroniza asimismo forums que permiten a padres e hijos conversar unos con otros *on line*.) Es probable que podamos también desarrollar un sistema de becas que reúna fondos para que las familias puedan viajar para participar en este tipo de actividades. Una vez allí, padres, maestros, niños y otros podrán subir al estrado y compartir con el mundo sus experiencias y mensajes. Esto podría organizarse como una conferencia anual o bienal, como un simposio para seres dotados y para quienes les dan su apoyo. Desde luego, esto debe hacerse de una manera asequible. Con demasiada frecuencia, las conferencias o reuniones empiezan con buena intención y luego terminan desequilibrándose, con profesionales pidiendo a gritos presentarse ante el grupo y los familiares sólo teniendo oportunidad de hablar en los pasillos entre las conferencias. Unas reuniones más interactivas serían mejores para todos. Tal vez algunos de los «expertos» en la esfera pudieran donar sus servicios de forma gratuita. ¡Esta autora lo haría! Otra posibilidad es un campamento, donde padres e hijos podrían compartir y aprender unos de otros, y los niños dotados podrían encontrarse con otros iguales que ellos. Estas serían actividades encaminadas hacia el ejercicio de los dones de los niños y su expansión para un uso mejor y más pleno.

Salones «chat» por Internet o mensajerías son otras soluciones fáciles que posibilitan que padres, maestros y cuidadores comparen sus anotaciones. He oído recientemente de un salón «chat» en Wisconsin donde un grupo de Niños de Ahora se comunica para a hablar sobre sus dotes y percepciones conscientes. (Desde luego, cada vez que los niños están *on line* hay que supervisarlos, ya que hay verdaderos depredadores por ahí quienes husmean e incluso participan en salones «chat» infantiles.) Todo está en poner el punto final a la percepción de que los niños dotados son una anomalía. Los Niños de Ahora están por doquier y son vitales para la evolución humana, así que debemos buscar espacio para nuestras diferencias y ayudar a los niños de todas las maneras posibles.

Sugerencias para cambios dietéticos

Admito que no soy experta en dietas. La información que ofrezco en esta sección procede de entrevistas con padres y profesionales que han hallado útiles estas sugerencias, así como de un bueno y anticuado sentido común.

Debido a que nuestras relaciones de ADN evolucionan sin cesar, y terminarán cambiando por completo, el tipo de información que nuestro cuerpo recibe cambia también. La mejor manera de asegurar que los Niños de Ahora vean satisfechas sus necesidades dietéticas, sería confeccionar las dietas de acuerdo con su ADN individual. Si las dietas de nuestros hijos se planificaran a base de su ADN, irían cambiando constantemente a medida de la evolución de sus campos de energía. Recibirían sustento óptimo en cada momento. ¡Imaginaos: una nutrición que evoluciona todo el tiempo, último modelo! Por supuesto, esta tecnología no es del todo práctica y aún no es accesible al público en general. ¡Algún día!

En nuestro caótico mundo, parece nunca haber suficiente tiempo para hacer todas las cosas que necesitamos hacer. Nos hemos convertido en personas propensas a buscar comodidades, y con esto ha surgido una dieta pobre. Muchos de nosotros tendemos a comer sobre la marcha, y alimentamos a nuestros hijos de la misma manera. Los alimentos confeccionados por instituciones y destinados al microondas o para ser consumidos «al momento» suelen contener todo tipo de conservantes y, muchas veces, apenas se parecen a su estado natural. Los alimentos preparados de manera natural se han hecho cada vez más accesibles, y aunque cuesten un par de dólares más, el beneficio que ofrecen a nuestro cuerpo no tiene precio. Sólo toma un poco más tiempo preparar los vegetales frescos que abrir una lata y echarlos en una cazuela. Los vegetales que se venden envasados suelen estar precocinados, y en este proceso han perdido muchos de sus nutrientes. El mero hecho de que algo se venda en el mercado de alimentos no significa que el producto sea saludable o bueno para nosotros. La exagerada publicidad del mercado hace que muchos de nosotros comamos cosas que, en realidad, no son buenas para nosotros, pero creemos que sí lo son debido a sus etiquetas que nos proclaman a gritos que «la buena comida está aquí». Al igual que en todos los demás sentidos, los padres deben usar su discreción en cuanto a las necesidades dietéticas de sus hijos. Los Niños de Ahora, por lo general, saben «escuchar» muy bien a su cuerpo y parecen saber lo que necesitan. Por lo general, cuando se les da la oportunidad, toman decisiones que son sorprendentemente saludables. Niños pequeños, en particular, parecen ser en gran medida conscientes de sus necesidades, así que hacerles caso en vez de dejarse llevar por las comodidades, es una buena idea.

Los sistemas metabólicos de los Niños de Ahora, y en particular de los niños cristal, requieren que sus cuerpos sean alimentados de una manera diferenciada. Necesitan comer con mucha frecuencia en pequeñas cantidades, en lugar de hacer grandes comidas tres veces al día. Los niños cristal y algunos de los chicos de las estrellas, sobre todo los pequeños, comen más bien como pajaritos. Esto no significa que debemos darles una zanahoria y permitirles corretear por ahí mientras la coman. En vez de esto, hay que dedicar tiempo a una razonable preparación de comidas y meriendas. (Si alguien que está leyendo este libro tiene o conoce a algún niño dotado, es probable que haya presenciado el reto que significa darle el almuerzo a un niño que no está interesado en comer. El pequeño «picará» algo de su alimento, sin desearlo de veras. ¿Cuántos de nosotros hemos oído a un niño decir: «¿Cuántos trozos más?»? Por supuesto, hay algunos niños que no desean que se interrumpa su juego, pero no es esto de lo que estamos hablando. Puesto que los Niños de Ahora son sensitivos en extremo, tal vez debamos considerar la posibilidad de que se sientan miserables con la idea de tener que comer algo que no esté en resonancia con ellos.

Cuando los chicos no comen de una manera beneficiosa, no funcionan óptimamente. Los Niños Nuevos son vulnerables en particular a las reacciones con alimentos, porque al igual que todo lo demás, el alimento es energía, y cada tipo de alimento posee su propia vibración. No hace mucho recibí un e-mail de una mujer que estaba asombrada a causa de la capacidad de su sobrina para determinar qué tipo de alimentos o bebidas necesitaba. En una ocasión, la mamá de la niña le había ofrecido un jugo que era una mezcla de varias frutas. La niña consideró cuidadosamente su elección, y luego optó por otra mezcla, cuya composición no contenía una fruta en particular. Esto no era cuestión del gusto sino de que la niña, de alguna manera, conocía sus necesidades. Otro ejemplo es una abuela que llevó a sus dos nietos a una a la tienda de alimentos «*Whole Foods*». La madre de los niños solía llevarlos a la tienda y permitirles elegir una amplia variedad de alimentos ya preparados y comida-chatarra –dulces, galletitas y otras meriendas listas para consumir. Cuando la abuela llevó a esos niños a lo largo de los pasillos, quedó muy asombrada de ver que, con poca o ninguna orientación por parte suya, los niños optaron por coger alimentos frescos: vegetales, frutas, jugos y nueces. Estos son los productos que fueron a parar al cesto. Los niños no tenían educación en cuanto a sus dietas, simplemente al permitirles elegir, eligieron con sabiduría. Las etiquetas llamativas no eran lo que atraía a los niños, y era obvio que estaban comprando guiados por su orientación interna.

Si vuestro hijo o alguno que conocéis suele tener círculos oscuros bajo los ojos, problemas digestivos u otros síntomas tales como falta de energía, podría ser una buena idea hacerle un chequeo sobre su tolerancia a los alimentos. Las sensibilidades a alimentos pueden crear estados tóxicos en el cuerpo, lo cual, a su vez, puede causar una gama de problemas más o menos graves. Con el tiempo, el cuerpo puede experimentar tensiones o sobrecargas, ya que trata de compensar el daño causado por la toxicidad. Debido a esto, hay que tener cuidado por evitar alimentos que puedan tener hormonas u antibióticos residuales (tales como carne, huevos y leche), a no ser que sean de animales de granja u producidos orgánicamente. También se deben evitar los alimentos alterados por medios genéticos. La comunidad científica no toma en consideración el hecho de que cada vez que modifica nuestros alimentos por medios genéticos, cambia la manera en que nuestro cuerpo los asimila. En última instancia, si la alteración genética continúa, el modo de que nuestras células entran en relación con diferentes moléculas dentro del cuerpo, va a cambiar. Se crearán diferentes relaciones de proteínas, lo cual afectará nuestra asimilación de alimentos y nutrientes y, por lo tanto, nuestro funcionamiento como organismos biológicos. Estos cambios formarán parte de nuestra evolución. Si se permite que esto continúe de una manera incontrolada, terminará por afectar toda la cadena alimenticia, lo cual causará mutaciones en nuestras plantas, nuestros animales e incluso en nosotros mismos.

Nuestro cuerpo se compone de agua en un 80%. A medida que quemamos calorías y el cuerpo gasta energía, una gran parte de esta agua se evapora. Es importante para nosotros permanecer hidratados. Los niños cristal, en particular, necesitan grandes cantidades de líquidos. Muchos de ellos parecen tener una sed insaciable. Debido a sus altos niveles metabólicos, y también porque son conductores de energía, queman con gran rapidez el líquido que consumen. También los hijos de las estrellas requieren mucho líquido, pero al parecer no con tanta frecuencia. Además del agua, jugos de frutas o vegetales, leche (orgánica siempre y cuando esto sea posible), bebidas deportivas que reemplazan electrolitos (con moderación) y otras bebidas naturales son buenas opciones para ayudar a los niños a mantenerse hidratados.

Hay que evitar el azúcar, porque para los Niños Nuevos hasta cantidades pequeñas pueden ser excesivas. El azúcar invierte de manera temporal las polaridades, o cargas eléctricas, dentro de nuestro sistema nervioso, hasta en los más mínimos de sus aspectos. Esto causa la excitación de las diminutas partículas sub-atómicas en el interior de nuestro cuerpo. Debido a esto, nos sentimos por un tiempo «animados», y luego cansados, porque nuestro cuerpo ha tenido que trabajar para compensar por la ingestión extra de azúcar. Como nuestro sistema nervioso es el sistema de comunicación del cuerpo, debemos tratarlo con mucho respeto y no forzarlo a trabajar en exceso. Si tenemos necesidad absoluta de consumir azúcar, el azúcar sin refinar está disponible ahora en la mayoría de los mercados. Este azúcar consiste en grandes granos de color moreno. Es realmente muy bueno. Otro buen sustituto de azúcar refino es la *stevia*, un aditivo alimenticio que proviene de una planta subtropical de la familia de los girasoles. Se puede de encontrar principalmente en comercios de alimentos dietéticos, en forma líquida o en polvo.

En vez de la comida chatarra, una merienda puede consistir en frutas frescas, tales como manzanas y naranjas, rollitos de frutas naturales y otros productos similares. Manteca de cacahuete y apio, quesito crema sobre galletitas o apio, o vegetales con aliño hecho en casa, son también muy buenas opciones. No hace falta tener mucha imaginación para preparar una merienda saludable para niños, sólo un poco de tiempo extra. También es importante cómo se combinan los alimentos. Podéis creerlo o no, nuestro cuerpo requiere enzimas diferentes para diversas tareas digestivas. Para digerir la carne hace falta una enzima, para digerir frutas otra, para los lácteos una diferente, etc. Cuando los alimentos son incompatibles desde el punto de vista digestivo, el resultado es una digestión inadecuada, que a su vez conduce a una serie de problemas: uno de los más comunes es el aumento de peso. Otra buena idea es limitar los carbohidratos simples en la dieta de los chicos. Es preferible mantenerse lejos de los panes que contienen conservantes; siempre y cuando el niño no presente intolerancia al gluten o a la harina de trigo, es preferible consumir el pan integral. Es asimismo muy recomendable evitar grasas parcialmente hidrogenadas. Permanecen en el sistema unas cuatro veces más tiempo que las grasas normales, que forman parte natural y beneficiosa de la dieta humana. ¡Las comidas bajas en grasa no son necesariamente saludables!

Los suplementos alimenticios pueden ser también muy útiles para los niños. El consejo más frecuente que he recibido por parte de padres, cuidadores y maestros en cuanto a la alimentación de los Niños de Ahora es que se debe proporcionar apoyo a su sistema inmunitario. El aceite de pescado rico en ácidos omega-3; la vitamina C en forma de frutas cítricas (ayuda a clarificar y depurar el sistema linfático y afina la conductividad electromagnética dentro del cuerpo); las vitaminas A, E y D; el ajo; o multivitaminas con minerales: todas estas son buenas elecciones. Vegetales oscuros, de hojas verdes (tales como espinaca y col rizada) todas contienen propiedades que mejoran la salud e incluso pueden ayudar a prevenir el cáncer. Por supuesto, es siempre una buena idea consultar a un médico antes de comenzar a suministrar a un niño cualquier dieta o régimen de vitaminas. Lo fundamental aquí es tener sentido común, observar los efectos de lo que comen nuestros niños y tener una gran flexibilidad respecto a sus necesidades y deseos nutricionales.

Soluciones en la escuela

CAPÍTULO 13

Mejorar la experiencia escolar

Además del ambiente familiar, una de las esferas más importantes donde la sociedad puede impactar a los Niños de Ahora es la de las escuelas. Cuidar a los niños en su totalidad –cuerpo, mente y espíritu– es de vital importancia para su crecimiento y para la plenitud de su proceso de aprendizaje. En la actualidad, sin embargo, estamos alimentando la mente de los niños, pero no su alma. Día tras día permitimos ambientes escolares que los deprimen, hasta que, en un esfuerzo por mantener alguna funcionalidad dentro del ambiente, los niños se aíslan o se vuelven apáticos y soñolientos. Muchos de los chicos adquieren enfermedades que no parecen tener una determinada causa orgánica. (Estas observaciones y las que siguen se aplican también a niños «normales»).

Los Niños de Ahora son tan sensibles que los ambientes institucionales desnudos y muchas veces caóticos de nuestras escuelas públicas y privadas los hacen sentirse muy incómodos. Para estos niños, el caos resulta verdaderamente doloroso. Habitaciones llenas de niños de diversas procedencias y actitudes hacen que les resulte difícil adaptarse y prosperar. El amontonamiento y el caos en el ambiente escolar típico es, sin embargo, sólo el comienzo del problema. Los ambientes institucionales y reglamentados en exceso son también perjudiciales. Esquinas duras, superficies toscas y exceso de percepción visual o auditiva son para estos niños como el sonido de arañazos en una pizarra. La iluminación fluorescente es violenta y causa problemas en la vista y dolores de cabeza a algunos de los Niños Nuevos. Todo esto, además de las emisiones FEM de las lámparas de techo, ordenadores y otros equipos en la escuela, puede drenar la energía necesaria. Añádase en general la mala conducta de algunos niños o un maestro que tiene un mal día, y los Niños de Ahora simplemente no pueden soportarlo como los otros chicos. Cada uno de los subgrupos de estos niños tiende a reaccionar a estas situaciones de manera diferente: los niños cristal las sienten hasta la médula y desean «arreglarlo» todo para que todos sean felices: ¡una inmensa tarea para niños pequeños! Los hijos de las estrellas, por otra parte, lo más probable es que se aíslen con un libro o algo más que les interese e ignorarán a todos los demás. (Muchos de los hijos de las estrellas interiorizan sus sentimientos, y esto a la larga puede ser dañino para ellos.) Los niños transicionales buscarán medios fantásticos para producir una diferencia, o llamarán la atención de alguna manera del todo inaceptable. Otros de este grupo incurrirán en una conducta negativa por completo.

Los sistemas escolares han llegado a tener tanto hacinamiento, tanta insuficiencia de personal, tan poco presupuesto, que incluso los maestros pasan dificultades para trabajar de la mejor manera que puedan. Añádase a esto una combinación de chicos de hogares, culturas y ambientes socio-económicos diferentes, y lo que se desarrolla con toda naturalidad es un sistema de camarillas entre los niños, indiferencia entre la mayoría del personal y un sistema escolar que dista mucho de ser exitoso para llegar a cada uno de los niños. Como los chicos tratan de sobrevivir en medio de lo que parece un reto insuperable, las perspectivas son desoladoras y, en muchos casos, lo que predomina es la violencia. El resultado final de todo esto es un público sin educación e ignorante, desconocedor no sólo de materias académicas, sino también de los asuntos y los acontecimientos en un mundo más amplio. Nos hemos convertido en una nación de carneros conducidos y alimentados por políticos y los medios de comunicación. Se nos ha condicionado a aceptar las ideas y los ideales de otros que se nos sirven en bandeja, y esto significa conducir nuestro mundo a una gran disensión en forma de violencia, guerras y decadencia de la cultura entre las masas.

Mucho de esto comienza en nuestras escuelas. *Es la hora de dar un gran cambio.* Es la hora de criar bien a nuestros hijos, y la hora de cambiar nuestras actitudes, si nuestra sociedad ha de evolucionar para convertirse en una que sea beneficiosa para todos. Cuando criemos a los niños de hoy implementando ambientes nuevos (y más beneficiosos) e implantando diversos métodos de enseñanza, empezaremos a ver en sus ojos un reflejo de nuestra consciencia social. Los niños se volverán individuos fuertes y aplicarán esta fuerza y sus dotes a todo cuanto hagan.

Una y otra vez he oído cómo a niños especiales con necesidades especiales se les pide que abandonen una escuela tras otra. Evidentemente, hay una falta general de pericia y hábito profesional para «manejar» a niños que son diferentes. Esto tiene que ver tanto con las discapacidades físicas como con otras diferencias más sutiles, algunas de las cuales se han señalado en este libro. Cuando estas diferencias se ven desatendidas, se hace un mal servicio no sólo a los niños, sino también a sus familiares, a la comunidad y también a las generaciones futuras. El resultado es que los ambientes y las actitudes actuales de las escuelas públicas e incluso privadas no propician el bienestar de estos niños deliciosamente sensitivos y dotados.

No hace mucho tiempo supe de una niña en una escuela pública de Georgia, que es psíquicamente dotada. Me han dicho que tiene unos 6 años. Es una niña cristalina. Esta pequeña estaba leyendo palmas de las manos en el área de juegos, haciendo uso con toda inocencia de sus dotes intuitivas. Por hacerlo, la expulsaron de la escuela, ¡como bruja! ¡Sí, en pleno siglo 21, en los Estados Unidos, la gente tiene miedo a las diferencias! Es la segunda niña de la que he sabido que ha sido víctima de ostracismo a causa de sus dotes. La primera había sido expulsada durante tres días en una situación similar.

¿Cómo lidiar con todo esto en un mundo donde las escuelas carecen de suficientes fondos, tienen falta de personal y exceso de alumnos?

A fin de describir mejor los cambios que hay que llevar a cabo en nuestras escuelas, creo que lo más apropiado sería prestar oído a uno de nuestros chicos especiales narrando su experiencia personal:

En mi propia experiencia personal, cuando asistía a una escuela especial, se me trataba como si fuera invisible. Esto no tenía que ver con mi cuerpo físico ni con mis rasgos de niño cristal. Todos los días, cuando mi mamá me llevaba a la escuela, yo escuchaba los más bellos y enternecedores cantos afirmativos, pero cuando llegaba a la escuela todos estos cantos afirmativos se disipaban con rapidez.

Me volví invisible para sus ojos. Pienso que podían sentir mi profunda conciencia y que simplemente no estaban preparados. Así que en vez de hacerme caso a mí y a mis heridos sentimientos, me expulsaron del aula y me enviaron a la «Sala de Estar», donde estuve aullando de dolor. Si sólo pudieran escuchar, pensaba, si sólo pudieran dedicar un instante a prestar oído, a percibirme como un todo, en vez de pedirme que me desintegrara en partes separadas. Esta aniquilación de las partes, demolición del todo, es el camino que tenemos que recorrer los niños cristal, cuando no se nos percibe como un todo.

Creo que la cuestión de la escuela puede resolverse con tiempo, tomando muchas decisiones cuidadosas, ya que cuando el Espíritu está al timón y las familias de los niños cristal ocupan los asientos de pasajeros, por medio de una vigilante observación y profunda atención es posible llegar a una solución. Es el despertar del Espíritu en todos nosotros. Es el universo que sabe que se le escucha. Es cada uno de los niños cristal respondiendo con alegría y celebrando la co-creación con el Espíritu. Tengo que enfatizar que el saber escuchar con atención es la clave para una solución de toda esta situación.

Portador de Luz y Amor,
Nicholas M. Tschense, 9 años.

La descripción que hizo Nicholas de la aniquilación de sus partes me produjo un duro impacto. Nicholas revela el punto de vista típicamente cristalino de que cada cosa y cada persona son partes de un todo más grandioso; cuando esto se ve menospreciado, la unidad que ellos encarnan se destruye, y esto les duele hasta la médula. ¿Cuántos de estos niños andan por allí día tras día sintiendo esto mismo y no tienen la elocuencia de Nicholas ni capacidad para compartir sus sentimientos? Muchos de estos niños simplemente se vuelven silenciosos, bajan la cabeza y se deslizan de un día a otro hasta que puedan hacer algo más confortable.

Enseñanza en el hogar

Como remedio a esta situación, numerosos padres perceptivos han tomado el asunto en sus propias manos y han empezado a enseñar a sus hijos en el hogar. La enseñanza en casa permite flexibilidad a la hora de programar y permite a los alumnos aprender a un paso que les resulta cómodo. Algunos niños destacan y necesitan mucho menos tiempo para aprender y, para ellos la enseñanza en el hogar, es un éxito. Otros, que requieren más atención y asistencia, pueden recibirlas con facilidad y sin el estigma de ser un poco más lentos que otros en algunas asignaturas.

Existe un movimiento básico de familias que han llegado a ser muy creativas en cuanto a la educación de sus hijos en el hogar. Por lo que he podido saber, el éxito más grande es el que logran las familias que centran la educación de su hijo o hija alrededor de sus pasiones. Los niños criados de esta manera no sólo se adaptan bien, sino que se destacan. Desde luego, los padres no limitan el tema de estudios tan sólo al objeto de su pasión (que podría ser música, arte o ciencia), sino que crean para los niños maneras novedosas para ir en pos de sus intereses: por ejemplo, lecciones de tocar uno o varios instrumentos musicales; excursiones a galerías de arte, centros científicos u otros puntos que involucren cosas que son de interés para el niño. Como parte de la educación de una niña, sus padres, dueños de una granja en Kansas, le permitieron cultivar un campo de girasoles. Resultó magnífico y pronto se convirtió en una atracción local. La bella criatura rubia de ojos azules había sentido fascinación por los girasoles, y mientras llevaba a cabo su proyecto, aprendió todo el proceso agrícola, desde la siembra hasta la cosecha, y todo lo intermedio. Esta niña cría también sus propios terneros, los alimenta con biberón y los cuida, y toca cinco diferentes instrumentos musicales. Habla como una autoridad de casi todo porque se le ha animado a expresar sus sentimientos e ideas. Otras familias van por el mismo camino, haciendo un contundente esfuerzo de proporcionar un currículum bien completo para que los niños reciban una educación plena.

La socialización es otro punto que hay que tener en mente al considerar la educación en el hogar. En algunos casos, la educación en el hogar puede aislar al niño e incluso a toda la familia. Interacción con otros niños y adultos es una parte vital para el aprendizaje de habilidades sociales, así como para aprender a procesar sentimientos y experiencias. Como una solución a esto, en muchas áreas las familias forman coaliciones que proporcionan a los niños que se educan en el hogar reunirse para participar en excursiones y eventos sociales. Algunos tienen sus propios destacamentos de Niños Exploradores para ambos géneros. En otras de tales asociaciones las excursiones campestres y similares se suelen hacer en grupos más reducidos y con mejor calidad de atención y más experiencia. Por encima de todo, este tipo de situaciones, al parecer, funcionan muy bien.

Entorno en escuelas públicas y privadas

Tanto en las escuelas públicas como privadas, variar el entorno y la estructura de cada día puede representar una gran diferencia en el resultado de las experiencias de los niños en lo referente al aprendizaje, así como a su conducta. Como ya sabemos, los Niños de Ahora son extremadamente sensibles a su entorno y a los sentimientos y acciones de otros. Lo primero que hay que hacer es recrear el medio para el aprendizaje. Pensadlo: cuando vamos a una escuela o alguna otra institución, ¿cómo la vemos? ¿Cómo la sentimos? ¿Son las paredes de un color institucional, verde o gris? ¿Son los suelos duros y fríos? ¿Es la atmósfera general del edificio una de esas que anuncia a gritos «bajo presupuesto» y «reglas rígidas»? ¿Nos sentimos intimidados por lo que nos rodea? Si esto es así, ¿por qué lo es? Es porque la retórica de determinados ambientes implica reglas inflexibles, autoridad inconmovible e insulto táctil. A veces, tampoco se ven muy limpios. La pintura está desvaída, la iluminación hiere la vista y los muebles son incómodos y viejos. Más, por todas partes hay ángulos agudos y se ven pocos signos de vida natural, tales como plantas o animales. Esto, por lo general, deja a las personas con un sentimiento deprimente en cuanto al lugar. Paradójicamente, el entorno no es interesante ni inspira creación, a pesar del exceso de estimulación que producen sus niveles de sobrecarga visual y auditiva.

Imaginad cómo se sienten nuestros niños, dotados o no, cuando los obligan a sentarse en sus pupitres o sillas que son duras e incómodas. Por lo general, están dispuestas en hileras con asientos asignados, o los alumnos las disponen así a fuerza de costumbre. A cada cual se le obliga encontrar un espacio que lo identifique, y los niños están condicionados por hábito a saltar de sus asientos en cuanto suene el timbre, hayan terminado o no.

Luz, sonido y color

Comencemos con el entorno. Primero, tanto al personal como a los niños les iría mucho mejor una iluminación indirecta, natural, que no emita campos FEM tan fuertes o tan amplios como los de la iluminación fluorescente. Las emisiones FEM afectan hasta cierto punto a todos, pero los Niños de Ahora sienten las emisiones como campos de energía palpables que penetran en sus cuerpos y los hacen sentirse enfermos. Las emisiones FEM reordenan la alineación armónica de las partículas dentro de nuestros campos de energía, y cuando esto ocurre, las relaciones energéticas dentro y alrededor de nuestro cuerpo varían, muchas veces con efectos negativos sobre los niños. En particular, las emisiones FEM afectan extraordinariamente a los niños cristal, y muchos de ellos padecen fatiga y dolor de cabeza a causa de la hiriente iluminación en el aula. Otros equipos electrónicos, tales como ordenadores y monitores, son también perjudiciales a los campos de energía humanos, y por lo tanto a la salud de estos niños. Las emisiones FEM en el aula se pueden reducir reemplazando los viejos monitores de los ordenadores de tubo catódico por los otros más modernos, de modelo plano, de panel. Los monitores planos, de panel, emiten una radiación FEM de un nivel mucho más bajo. (Es posible controlar fácilmente las emisiones FEM con un sencillo medidor manual).

Otro factor que afecta tanto la envergadura de la atención como la comodidad en general de estos niños es algo que yo llamaría sobrecarga visual y auditiva. Esta clase de «insulto sensorial» se produce cuando el campo visual contiene tantas cosas que crea una sensación interna de caos, o cuando hay tanto ruido que resulta abrumador. Pensadlo de esta manera: si alguien tiene puesto el televisor a todo volumen, apenas podemos aguantarlo y tenemos que pedir que bajen el sonido. En la escuela hay interrupciones constantes causadas por el ruido de fondo en el aula y en los pasillos, así también por el ruido que llega desde fuera de las ventanas, y estas distracciones afectan la capacidad de concentrarse de la mayoría de los niños. Y en una institución donde se trabaja, al parecer hay muchas interferencias que se pueden reducir.

Simplificar la experiencia ambiental, visual y auditiva contribuirá en gran medida al confort de todos los niños. Esto se puede llevar a cabo con facilidad reorganizando objetos en aulas y pasillos. Disponer libros y materiales de estudio de una manera ordenada y, donde esto sea posible, instalar armarios o puertas sobre las estanterías, para que las áreas de amontonamiento resulten cubiertas por superficies planas. La mayoría de las escuelas cuelga en las paredes y en los pasillos cuadros, tableros de anuncios de tareas asignadas, y otros trabajos creados por los niños. Deshaceros del amontonamiento visual. ¿Por qué no limitarse exponerlos en áreas específicas dentro de la escuela, como un «Salón de los logros» o una «Pared de los Sueños»? Llevad a los niños a visitar de manera regular ese salón o esa pared especialmente designados. De esta manera, en vez de volverse inmunes al trabajo de otros, podrán compartir también sus propias creaciones con una actitud apropiada. ¿Por qué no hacer que estos logros sean especiales? ¡Lo son! Como una alternativa a la sobrecarga auditiva, una música de fondo de carácter no repetitivo puede ayudar a crear una atmósfera que sea a la vez serena y equilibrada. Puede también cubrir pequeñas interrupciones sonoras.

El color es también en extremo importante cuando se crea un entorno apacible y menos caótico que sea propicio para el aprendizaje. Por desgracia, la mayoría de las escuelas optan por los institucionales verde o gris. Como ya he dicho, color es energía, posee realmente frecuencia, y estas frecuencias pueden afectar nuestros estados de ánimo e incluso nuestro desempeño. Para crear un entorno positivo, hay que usar colores claros y brillantes. Combinaciones de estos colores en una misma habitación pueden cambiar nuestra manera de verla y sentirla. Los colores pastel, tales como los tonos claros de amarillo, púrpura, violeta, azul, rosado, salmón y verde (salvia o hierba funcionan también) todos son buenas elecciones. Los tonos terrosos tienden a crear en el aula demasiado sentimiento de «anclaje», así que tratad de evitarlos, ¡a no ser que sea un intento para lograr que los niños duerman largas siestas! También evitad colores oscuros e intensos, tales como el rojo y el azul profundo.

Arreglo de la habitación

Después de crear la atmósfera cromática apropiada, hay otras cosas que pueden también significar una diferencia positiva. Primero, al elegir y disponer los muebles, disminuid esquinas y ángulos agudos donde sea posible. El aula óptima debería ser redonda sin ninguna esquina. Esto crearía un entorno más suave y más acorde con la geometría sagrada: las formas que son los componentes de la creación. Disponed las cosas en el aula de manera geométrica, para que haya limpieza y orden. Dentro de todos nosotros existe un reconocimiento innato de formas geométricas, y estas formas pueden ejercer efectos interesantes y positivos sobre todos. Las formas en particular beneficiosas son aquellas que hallamos entre lo que se denomina «sólidos platónicos». Se trata de las formas más básicas de la creación: la esfera, la pirámide cuadrilátera, el cubo y el cuadrado. Estas formas son atractivas para la vista y propicias para el aprendizaje.

Como ya hemos dicho, las aulas suelen disponer de hileras cuartelarias de sillas o mesas. En vez de esto, romped con ese sentimiento cuartelario y haced que la disposición sea más personal. Separad las mesas y sillas en grupos más pequeños de niños con habilidades similares. Si la cantidad de alumnos en la clase no es excesiva, formad un gran círculo. Evitad por completo la superioridad y la comparación. Haced que los maestros formen parte del grupo, situándolos en el círculo o en su centro. El mensaje que se crea por medio de esta disposición es que todos son igualmente importantes. Además, los niños pueden verse unos a otros, pueden interactuar con más facilidad, y nadie se distrae por tener a alguien delante o a sus espaldas. La disposición se vuelve al instante más íntima y personal. La disposición circular hace también que sea más fácil situar a los niños en grupos de rendimiento similar, o mezclar a los niños para que sus habilidades se complementen realmente entre sí. En este tipo de situación los niños aprenden a trabajar juntos, retarse unos a otros y crecer como un equipo. Ganan orgullo en sus interacciones y desarrollan cualidades vitales tales como lealtad, amistad, responsabilidad y comunicación.

Para un niño que piensa de una manera compartimentada, un formato circular tiene también otros beneficios. Resulta posible asignar una tarea o plantear un problema a todo el grupo alrededor de la mesa. Se puede explicar a los niños que su grupo es como la esfera de un reloj. La pregunta que está en juego es el lugar central de donde parten las manecillas. Cada niño, sentado en un lugar diferente alrededor de la mesa, contribuye a la solución del problema a partir de su propia perspectiva. En otras palabras, el niño que ocupa la posición de las 12 comenzaría, exponiendo su opinión y punto de vista sobre el problema. El próximo niño, digamos, el de las 2, encontraría otra perspectiva de donde enfocar el asunto. Y así, alrededor de toda la mesa. Entonces, por último, la discusión entre los niños los llevaría a una solución bien pensada.

Toques naturales

Los Niños de Ahora son en extremo conscientemente perceptivos de su entorno, la naturaleza y el planeta en general. Las plantas vivas contribuyen en gran medida a un amiente más natural. Otros seres vivos en el aula son adiciones simples pero poderosas: una gran pecera con peces, pequeños animalitos que los niños puedan criar y observar, e incluso mascotas de visita en ocasiones especiales, todos han de crear una atmósfera viva y apacible para el maestro y los alumnos. El agua corriente en forma de una pequeña fuente purifica la energía en el aula y añade un sonido de fondo natural que suaviza la severidad del ambiente.

Otra magnífica manera de contribuir a la calma y la actitud positiva es, cuando el estado del tiempo lo permite, llevar a la clase al aire libre. Permitid a los niños que lleven una estera o una frazada que hará función de su espacio exterior. Permitidles que se quiten los zapatos (si son lo suficientemente mayores como para volver a ponérselos más tarde) y sientan la hierba bajo sus pies. Animadlos a que cierren los ojos y sientan la brisa, y después que se relajen por unos pocos minutos, que se sientan en su espacio personal y participen en las clases que se han de impartir. Movimientos tales como tai chi, estiramientos o, en ocasiones, formas libres de danza, elevan el nivel de atención y energía de los niños. Esto se puede hacer o por la mañana a primera hora, o inmediatamente después del almuerzo, para eliminar la inevitable soñolencia que sigue a la ingestión de alimentos. ¡Con muy poco esfuerzo se puede hacer que la escuela sea divertida!

Menos estructura, más comodidad

Muchas veces el día escolar se ve repleto de rígida estructura que incluye determinadas clases a determinadas horas y fechas tope para la realización y la terminación de tareas, todo lo cual crea una presión extraordinaria sobre muchos niños. Debido a que los Niños de Ahora piensan de manera compartimentada, son muy capaces de llevar a cabo muchas tareas simultáneas durante todo el día. En vez de funcionar en formato lineal, sería más beneficioso crear un sistema circular, en forma de rueda de timón, donde haya quizás unas cinco actividades o grupos de actividades que sean progresivas. En un día determinado, se dan tareas sobre diversos temas, y el material para cada tema se ubica en un quiosco en un área específica. Cada tema está solo, con papeles que llenar, libros que leer, historias que interpretar, etc., todos accesibles en el quiosco destinado a este tema. Hay que establecer reglas básicas, pero es el niño quien decide el orden del cumplimiento de las tareas. El niño, o la niña, puede trabajar en más de una tarea a la vez, pero no puede avanzar hasta el paso siguiente del «timón» mientras no haya cumplido cada una de las tareas asignadas del paso actual. El objetivo es que los niños no vayan a cumplir en un día el contenido semanal de las tareas de matemáticas, y nada más. Tienen niveles de cumplimiento que han de llevar a cabo, y sin embargo disponen de opciones en este asunto, de modo que puedan trabajar a un ritmo cómodo.

Los sistemas escolares que introducen el esquema de la «rueda de timón» descubren de inmediato que muchos de los niños que antes aparecían como DDA y DDAH empiezan a destacar. Los niños tienen la oportunidad de avanzar si han terminado su nivel diario o semanal, y a los que son un poco más lentos, no se les apresura a competir con otros. La competencia puede ser una excelente herramienta de aprendizaje siempre y cuando se utilice con responsabilidad e integridad. Comparar abiertamente a los niños, sin embargo, no es bueno en ningún momento. Todos los niños son diferentes, y cada uno tiene una perspectiva y opinión particulares sobre cualquier situación dada. Comparar a los niños entre sí puede inducirlos a cuestionar o dudar de su validez, lo cual, a su vez, puede conducir a problemas de auto-merecimiento.

Bienvenida la comunicación abierta

La comunicación es uno de los mayores beneficios que podemos ofrecer a nuestros niños especiales. La mayoría de las veces en la escuela se les dice lo que tienen que hacer y cuándo lo tienen que hacer, pero en raras ocasiones cómo o por qué todo ello va a ocurrir. No se les dice lo que va a ocurrir a continuación, así que no tienen la menor idea de qué esperar. Un niño que sabe lo que va a suceder se siente mucho más seguro en su experiencia que uno que no lo sabe. Con frecuencia, lo desconocido crea estrés, pero esto es fácil de evitar por medio de una comunicación clara y precisa.

En cada aula hay momentos en que determinados niños se vuelven problemáticos. Se producen episodios desagradables en clase o en el área de juegos y, por lo general, alguien sale castigado o recibe una reprimenda, y la vida sigue su rumbo. Sin embargo, para los niños que han presenciado los sucesos o participado en ellos, estos problemas muchas veces quedan sin resolver. Recientemente, me encantó enterarme de una escuela privada que todos los días dedicaba un tiempo a discusión abierta entre los niños. Este tiempo se considera allí como una «zona de seguridad», donde los niños pueden expresar abiertamente sus sentimientos al maestro o a otros alumnos, sin temor a que se les juzgue o a que repercuta de algún modo en ellos. A los niños se les permite decir lo que tienen en el corazón y en la mente, expresar preocupaciones, e incluso decir a otros niños lo que sienten en cuanto a sus experiencias con ellos en el aula. Desde luego, estas reuniones se llevan a cabo bajo supervisión y dirección por parte del personal y, por necesidad, tienen determinadas reglas fronterizas para mantener las conversaciones en una luz constructiva y positiva. Lo que la dirección de la escuela descubre al permitir este maravilloso proceso es que los niños se sienten mucho más cómodos y a su gusto y, general, mucho más comunicativos.

Muchos niños que se portan mal lo hacen para llamar la atención o porque están simplemente aburridos, o tienen otros problemas que no se han hablado o resuelto ni en la escuela ni en el hogar. En una situación más positiva, los niños problemáticos pueden aprender que sus acciones no son aceptables para otros niños. Pero también escuchan cosas buenas sobre sí mismos (esto forma parte de las reglas) así que, en vez de recibir un reforzamiento negativo de sus acciones, aprenden, gracias a la aceptación por parte de las personas comprensivas, que su conducta puede cambiar con facilidad y conducirse a un resultado positivo sin peleas o luchas.

Hablando en términos generales, apoyar a los Niños de Ahora requiere simplemente tener un buen sentido común, la voluntad de hacer un esfuerzo y congruencia en todo lo que se hace. Si tenemos la previsión de dar a nuestros niños lo que ellos necesitan en casa, en sus escuelas y en situaciones sociales, criaremos una asombrosa generación de personas dotadas y sensitivas que pueden conducir y conducirán nuestro mundo a increíbles alturas de unión y realización, en aras de la experiencia más elevada y mejor para todos.

¿Qué viene a continuación?

Capítulo 14

Con todos estos cambios y la rápida evolución, ¿hacia dónde nos dirigimos? ¿Qué sucederá a continuación? Ante todo, si no oponemos resistencia a la inevitable transformación el género humano, y si aprendemos a aceptar los cambios y dejar que broten de las infinitas posibilidades que ofrece toda la creación, descubriremos de manera gradual que nuestro mundo se está convirtiendo en un lugar notablemente prometedor. Experimentaremos un espontáneo despertar de nuestras dotes en niveles infinitos. Cuando algunos de nosotros respondan con facilidad a estos cambios, otros lo harán también. La conciencia de todas las personas puede crecer, y así lo hará hacia una experiencia más grandiosa y más positiva, siempre y cuando tengamos el valor de participar de manera consciente e intencional en nuestra evolución y potenciar a nuestros hijos y a nosotros mismos para un cambio positivo.

Los campos de energía cristalina de los Niños de Ahora ya han empezado a derramar su luz. Han de formar un arco iris difuminado de colores pastel o incluso una luz blanca y pura. Cuando estos cambios ocurran, el proceso evolutivo se acelerará. Pronto seremos testigos del nacimiento de una nueva clase de humanidad, una que va a recordar sus raíces, su Fuente. Esta humanidad nacerá de una historia infinita y un infinito futuro. Experimentaremos nuevas y emocionantes maneras de percibir la realidad y reconocer la unicidad dentro de nosotros mismos, dentro de los demás y dentro de todas las cosas.

Con la marcha del tiempo, cada vez más Niños de Ahora ocuparán cargos de responsabilidad como líderes que cambiarán el mundo social, política y tecnológicamente. Sus lecciones de grandeza incluirán la aceptación incondicional y el amor por la perfección, para el pleno beneficio de todos. Pronto, dentro de unos 12 años, vendrá otra oleada de niños que nacerán en la Tierra y en el más allá. Muchos de ellos vendrán a nuestro mundo realizados por completo, con recuerdos de tiempo infinito, desde antes de nuestra historia conocida hasta muy lejos en el futuro. Aplicarán todos estos recuerdos y vastos conocimientos a todos y todo cuanto toquen y a cada lugar que beneficien con su presencia.

Los Niños Nuevos traerán a nuestro mundo dones que ahora ni siquiera podemos imaginar. Serán niños hechos de luz blanca que llevarán en su interior todas las frecuencias con perfección armónica, en un espectro plenamente equilibrado de luz proveniente de la Fuente de todas las cosas. Los campos de energía de estos niños girarán en espiral, reinventándose de manera constante a sí mismos en cada momento. Serán poseedores de dones de telepatía, empatía, sanación, serán maestros y líderes espirituales, incluso antes de que puedan hablar. Su mera presencia cambiará para siempre la vida de cuantos los rodeen.

Los niños de la luz blanca aceptarán por completo sus dotes y los usarán por instinto y sin vacilación. Serán criaturas mágicas, sabios que vendrán a nuestro mundo desde la vasta realidad como Maestros de todo el tiempo. Nos traerán ejemplos de una existencia superior y mostrarán lo que siempre existió y lo que puede volver a existir en nuestro mundo, si abrimos nuestro corazón y recordamos que *todos somos uno y que el amor existe siempre*.

Por encima de todo, debemos continuar estudiando a los Niños de Ahora. Como nuestra evolución prosigue a través de nuestros hijos, debemos actuar para cambiar nuestros entornos, escuelas, hogares y relaciones. Debemos recordar que tenemos que ser flexibles. ¡Con estos niños todo es posible! Los Niños de Ahora nos necesitan hoy. Al aprender a apoyarlos, nos apoyamos a nosotros mismos y nos preparamos para la próxima oleada mágica de nuestras futuras generaciones.

Como dice mi amigo Nicholas, debemos escuchar atentamente a nuestros niños. No es demasiado tarde. Ahora es el momento preciso para empezar.

Apéndice

Más información sobre los Niños de Ahora

Las listas de sitios Web, libros y películas que se ofrecen a continuación ofrecen una mayor información sobre los Niños de Ahora. Por favor, tened en mente que estas no son recomendaciones, ya que la autora no ha leído o visto cada uno de los ítems. La mayoría han sido recomendados por padres, maestros y profesionales que trabajan con los Niños de Ahora. Se ofrecen aquí como herramientas opcionales para aprender sobre los niños. Al igual que con cualquier otra información que sea accesible además de estas, por favor, haced uso de vuestra discreción.

Páginas web
de niños índigos

www.indigochild.com
www.artakiane.com/home.htm
(*El sitio de Akiane, prodigio de arte y alma*)
www.greatdreams.com/indigo.htm
www.indigochild.net/a homeframe.htm
(*Un sitio internacional*)
www.childrenofthenewearth.com
(*Sitio Web de la revista: ofrece información sobre la crianza*
de niños índigos y niños cristal)
www.indigochildren.meetup.com
(*Ofrece información sobre grupos de padres e hijos en*
vuestra área)
www.experiencefestival.com/indigo_children
(*Ofrece vínculos con otros recursos*)
www.starchild.co.za/articles.html
(*Ofrece muchos vínculos con otros artículos y sitios sobre*
niños índigos y cristalisnos)

Páginas web de niños cristal

www.spiritlite.com
(*Sitio Web de la autora*)
www.childrenofthenewearth.com

www.nicholas.citymax.com/indigo_nicholas.
(*Sitio Web de Nicholas*)
www.thecrystalchildren.com
web.mac.com/LorrinsWorld
(*Sitio Web de Lorrin*.)
www.lightworker.com/beacons/101502Awakening
CrystalChildren
(*Ofrece canalizaciones de Steve Rother; que aparecen
    también en Sedona Journal of Emergence.*)
www.metagifted.org/topics/metagifted/crystal
Children
(*Un sitio de información general con vínculos con muchos
    otros.*)
www.experiencefestival.com/Crystal_Children
(*Ofrece muchos vínculos con otros recursos.*)
www.enchantedlearning.com/Home
www.learnnc.org/index.nsf
www.ket.org/cgi-plex/watchser ies.pl?&id
=AJONO
www.learner.org/jnorth
www.childrenofthenewearth.com/inforforteachers/
index
www.theindigoevolution.com
www.cosmikids.org
www.childrenlights.com
www.planetlightworker.com

Para lecturas adicionales

Attention-Deficit Disorder: Natural Alternatives to
Drug Therapy (Natural Health Guide) por Nancy
L. Morse.

ADD: The Natural Approach by Nina Anderson
and Howard Peiper (*también disponible en cassette de audio*).

Without Ritalin: A Natural Approach to ADD por
Samuel A. Berne.

Natural Treatments for ADD and Hyperactivity
por Skye Weintraub.

Bach Flower Remedies for Children: A Parents'
Guide por Barbara Mazzarella.

The Essential Flower Essence Handbook por Lila
Devi.

(*Muestra cómo usar esencias florales para ayudar al
equilibrio emocional y dar apoyo a niños y
adolescentes.*)

Beyond the Indigo Children: The New Children
and the Coming of the Fifth World por P.M.H.
Atwater.

Indigo Children por Lee Carroll and Jan Tober.

Indigo Celebration por Lee Carroll.

Creative Activities for Young Children por Mary
Mayesky.

The Secret Spiritual World of Children por Tobin
Hart, Ph.D.

Raising Your Spirited Child: A Guide for Parents
Whose Child is More Intense, Sensitive, Perceptive,
Persistent, and Energetic por Mary Sheedy Kurcinka.

Raising Psychic Children: Messages from «Thomas»
por James F. Twyman.

Emissary of Love por James Twyman.

(*Visite su Sitio Web en www.emissaryoflight.com,
o comuníquese por e-mail en james@emissarybooks.
com.*)

Libros para chicos

Full Moon Stories– Thirteen Native American
Legends por Eagle Walking Turtle Arrow: A Pueblo
Indian Tale por Gerald McDermott.
Places of Power por Michael DeMunn.
(*Enseña sobre la santidad de lugares sagrados y la santidad
de los propios niños*)
Native Plant Stories por Joseph Bruchac.
(*Enseña cómo escuchar a las plantas y recibir su medidina.*)
The Sacred Tree by Four Worlds Development Project.
(*Enseña los dones de las cuatro direcciones*).
The Little Soul and the Sun, por Neale Donald Walsh
(*Enseña a los niños cuál es el verdadero origen de su
alma.*)
SunDancer Speaks of Life, Death and Freedom:
We are the Generators of the Myths, Stories and
Legends of a Future Age por Edward Hays.
Hope for the Flowers: A Tale Partly About Life,
Partly About Revolution and Lots of Hope for
Adults and Others (Including Caterpillars Who
Can Read) por Trina Paulus.
Special Gifts: In Search of Love and Honor por
Dennis L. Olson.
(*Un cuento encantador sobre el Creador que busca consejo
de los animales*)
The Children's Book of Virtues por William J.
Bennett.
Children of The Sun: A Spiritual Journey Using
Story and Songs por Laurel Savoie and Emery Bear
(*incluye CD*).

Películas

The Indigo Evolution, por James Twyman, Stephen Simon, Kent Romney y Doreen Virtue.

Otros vínculos útiles

www.healingarts.org/children/holmes.htm#exam
(*Sitio de Amy S. Holmes, M.D. Ofrece opciones para el tratamiento del autismo*)
www.cem.msu.edu/~cem181h/projects/97/mercury/#anchor233568
(*Sitio de Andrew Volz, Jake Weaver y Dean Shooltz. Trata sobre la toxicidad del mercurio en el cerebro humano.*)
www.academy.d20.co.edu/kadets/lundberg/dna
(*Muestra imágenes del ADN humano*)
articles.news.aol.com/news/article
(*Ofrece más información sobre la nutrición del ADN*)
www.drboylan.com
(*Sitio de Richard Boylan; Véase también los 42 signos de que un niño es hijo de las estrellas en www.drboylan.com/strkidsigns.*)

Índice analítico

Renuncia
de responsabilidad

La autora cree que muchas de las características que muestran los niños especiales descritos en este libro pueden explicarse y comprenderse de la mejor manera a través de sus teorías y paradigmas. Sin embargo, ya que no todos los síntomas o manifestaciones pueden explicarse por la misma razón, ni la autora ni el editor aconsejan a nadie, en modo alguno, seguir o rechazar cualquier tipo de tratamiento, médico u otro, descrito en este libro. Aconsejamos a los padres y cuidadores obtener la mayor cantidad de información posible antes de tomar cualquier decisión que pueda afectar la salud y el bienestar general de sus hijos, y es siempre aconsejable consultar a un profesional de la salud. LA AUTORA Y LA EDITORIAL NO OFRECEN GARANTÍA ALGUNA, EXPRESA O IMPLÍCITA, RESPECTO AL CONTENIDO DE ESTA OBRA.

Índice

Si lo desea puede enviarnos algún comentario sobre

LOS NIÑOS DE AHORA

Esperamos que haya disfrutado con la lectura y que este libro ocupe un lugar especial en su biblioteca particular. Dado que nuestro principal objetivo es complacer a nuestros lectores, nos sería de gran utilidad recibir sus comentarios, enviando esta hoja por correo, fax o correo electrónico a:

EDICIONES OBELISCO
Pere IV 78, 3° 5ª
08005 Barcelona (ESPAÑA)
Fax: (34) 93-309-85-23
e-mail: comercial@edicionesobelisco.com

✎ Comentarios o sugerencias:

_____
_____
_____

✎ ¿Qué le ha llamado más la atención de este libro?

_____
_____
_____

✎ ¿Desea recibir un catálogo de nuestros libros? (Válido sólo para España.)
☐ SÍ ☐ NO

✎ ¿Desea recibir nuestra agenda electrónica de actividades?
☐ SÍ ☐ NO

Si desea recibir **NUESTRA AGENDA ELECTRÓNICA** de actividades con conferencias, talleres y eventos, además del boletín con las nuevas publicaciones, puede darse de alta automáticamente en nuestra web **www.edicionesobelisco.com** y facilitarnos sus datos en el apartado Suscríbase.

Nombre y apellidos:
Dirección:
Ciudad: Código Postal:
Provincia/estado: País:
Teléfono: E-mail:

¡Gracias por su tiempo y su colaboración!